familieziek

adriaan van dis

familieziek

een roman in taferelen

UITGEVERIJ AUGUSTUS

AMSTERDAM • ANTWERPEN

Eerste druk, september 2002
Tweede druk, september 2002

Copyright © 2002 Adriaan van Dis en uitgeverij Augustus, Amsterdam
Foto van de auteur Bert Nienhuis
Vormgeving omslag Tessa van der Waals
Vormgeving binnenwerk Suzan Beijer

ISBN 90 457 0041 7
NUR 301

www.boekenwereld.com

inhoud

Pour fabriquer une bombe 'A'
Mes enfants croyez-moi
C'est vraiment de la tarte
La question du détonateur
S'résout en un quart d'heur'
C'est de cell's qu'on écarte
En c'qui concerne la bombe 'H'
C'est pas beaucoup plus vach'
Mais un' chos' me tourmente
C'est qu'cell's de ma fabrication
N'ont qu'un rayon d'action
De trois mètres cinquante
Y'a quéqu'chos' qui cloch' là-d'dans
J'y retourne immédiat'ment

Boris Vian, 'La java des bombes atomiques'

nog één keer

'Nog één keer en ik pak mijn koffers,' zegt moeder en ze stormt de zitkamer uit. Op de gang bedenkt ze zich: er is geen volgende keer. 'Ik ga nu!' schreeuwt ze, 'hoor je dat, nu!' Ze slaat met de deuren, trekt met veel kabaal een koffer onder haar bed vandaan, opent de roestige sloten, trommelt het stof eruit – een knoop valt op de grond, een paar vergeelde menukaarten. De klerenkast zwaait open... daar gaan haar blouses, jurken, rokken, hemden, vest, nylons, sokken, haar bontje... Ze pakt voor winter en zomer. En de paperassen gaan mee, haar geheime spaarbankboekje. Ze pakt voorgoed.

De meisjes sluipen voorzichtig haar slaapkamer binnen, gaan tussen kast en koffer staan. Moeder duwt ze met volle handen opzij... Hoed. Een zilveren haarborstel. Kapmantel. Het flesje Soir de Paris. Ze gooit alles op een hoop. De oudste doet de deur op slot en steekt de sleutel bij zich: 'En wij?' vraagt ze. Moeder zwijgt en telt haar zakdoeken. Wat ze opvouwt en inpakt wordt door de meisjes meteen weer naast de koffer gelegd. Ze graaien in haar kleren, besprenkelen elkaar met Soir de Paris, de hoed gaat van hoofd tot hoofd.

'Wat is brandade?' vraagt de oudste, die de menukaarten van de grond heeft opgeraapt.

'Stokvis, dat aten we in Genua.'

'En scaloppine?'

'Schelpen geloof ik... was dat niet Napels?'

'Bah,' roept de jongste.

Moeder gaat op de rand van het bed zitten, de boosheid trekt uit haar gezicht, ze proeft een oude reis... kamelenvlees in Aden, koningskrab in Singapore...

'Wanneer mogen wij weer met de boot?' vraagt de middelste.

'Ach liefje, dat is nu niet meer te betalen.'
De oudste zwaait met het spaarbankboekje.
'Geef hier, dat is voor ons... voor later.' Haar handen maaien naar het boekje... 'Hou het in godsnaam voor je... vertel het hem nooit.'
'Dus je neemt ons mee?' vraagt ze.
Moeder trekt haar jongste dochter naar zich toe: 'Hoe zou ik jullie in de steek kunnen laten?' De andere twee werpen zich ook op bed. Ze rollen naar het midden van de matras – moeder deint tussen haar dochters – ze omhelzen elkaar, kroelen, zoenen. Ze kammen elkaars haren met de zilveren borstel. De oudste slaat het bontje om, de jongste de kapmantel. Zo lagen ze vroeger ook, op al die vreemde buitenplaatsen onder het zachte zoeven van een fan en later in de klamme hitte van de oorlog, op een matje. Een eiland van vrouwen. Ze kruipen nog dichter tegen elkaar aan, strelen hun moeder. Kon het maar altijd zo blijven. Geknuffel, gekietel.
Moeder rekt zich uit, ontfutselt de sleutel aan haar oudste dochter... 'Wees maar niet bang,' zucht ze. Ze zal het nog één keer proberen, net doen alsof er niets gebeurd is. Vooruit... opstaan, thee zetten, een boterham smeren voor de man die in de zitkamer boos voor het raam staat. Maar de meisjes trekken haar terug op bed, klampen zich aan haar vast. Ze doen zijn pinda-accent na, maken grappen over zijn o-benen, zijn kleren, over de bilnaad van zijn broek, die op barsten staat. Van het vele zitten.
'Te lui om te werken,' zegt de oudste.
'Jij hebt hem uitgekozen,' zegt moeder.
'Ja, toen...'
'Omdat jij zei dat we een vader nodig hadden,' zegt de middelste.
'Maar niet nog een broertje,' zegt de jongste.
'Die heel anders is...'

'Niet van ons...'

'Nee, dan was hij mooier geweest.' De meisjes praten en lachen door elkaar heen: 'Die neus... ja, die neus!' Ze schateren het uit: 'En die benen... nee... ja, hij ook! Hij gaat steeds meer op zijn vader lijken.'

'Hou op.' Moeder smoort haar stem in de schoot van haar dochters, drukt haar tranen weg tegen hun buiken, haar handen graven in de op bed verspreide kleren, ze houdt het bontje tegen haar gezicht, aait haar wang, haar oogleden... Ze herinnert zich de zachtheid van vroeger.

Ze haalt diep adem, veegt haar verdriet weg, staat op en opent de slaapkamerdeur. Een paar jongensbenen schieten de hoek om, de badkamer in. Ze loopt de gang op, houdt stil voor de badkamerdeur. 'En ik doe het alleen voor jullie, als je dat maar weet,' zegt ze tegen wie het maar horen wil.

schoenen poetsen

'Poetser, wat wordt het vandaag: de gang, de stal of de schoenen?' vraagt moeder.

Zijn neus staat het meest naar de geur van schoenen, maar welke?

'De zijne natuurlijk.'

'De zwarte, de bruine, de hoge, die met gaatjes?'

'Allemaal.'

Tien paar heeft meneer. Tien van de beste. Onverslijtbaar. Twintig neuzen smeken om een beurt. Schoenen voor mooi weer, schoenen voor lelijk weer, deftige schoenen, klimschoenen, wandelschoenen. Een paar om te rijden en een paar om te dansen. De dansschoenen zijn de mooiste. Zacht glimmend zwart. Als poetser zijn duimen op de zolen drukt, golven ze in zijn handen. Meneer Java

11

is een danser die vrouwen optilt, hij kan ze door de kamer laten zwieren: zachtjes in de buurt van de pick-up, anders schiet de naald uit de groef, maar woester achter in de kamer... en over de drempel, de gang in, tot in alle hoeken van het huis. Glenn Miller maakt de spieren los.

Met de dansschoen in zijn hand hoort de jongen de trompet... Moeder en de meisjes staan klaar, heup aan heup. Nee, nee, hij mag er niet tussen, dansen is voor vrouwen. Moeder laat zich lachend in haar mans armen nemen, één draai en ze vlagt, een haarspeld schiet los, haar lokken en rimpels dansen. De drie meisjes volgen met hun ogen, hun rokken wiegen met het ritme mee en ze haken naar zijn armen. Moeder wordt dansend naar een stoel geleid, eerstezus springt naar voren – vlijt zich tegen meneer Java aan, wang tegen wang. Middelzus stapt in zijn uitgestoken armen, twee rondjes maar; zij leest liever een boek. Hij buigt voor derdezus, tilt haar op en laat haar zwaaien, de hele kamer ziet haar onderbroek. En dan mag poetser toch nog, als laatste: met zijn zweetsokken op de gladde neuzen, meeliftend op het ritme. Meneer Java trekt zijn tenen in, kietelt hem onder zijn voeten – even staat poetser op een richel botten – tot ze weer dalen en hij zachtjes over de kootjes glijdt...

De dansschoenen worden met ijver ingesmeerd, zelfs de zolen krijgen een beurt. Maar die andere negen paar, is dat niet te veel? Ze spreken er allemaal schande van – tantes, verre ooms, grootvader, buren: 'Waar haalt hij het geld vandaan?' 'Geen baan, maar wel kopen bij Bally.'

'Je vader heeft een gat in zijn hand,' zegt moeder, 'wij keren onze kragen, wij dragen elkaars kleren af, wij zetten de tering naar de nering en hij speelt de grote meneer.' Om het te bewijzen opent ze een kast en woelt met haar handen door zijn overhemden: 'Zes, acht, twaalf, zestien, vierentwintig... daar komt hij wel twee oorlogen mee door.' Ze rukt de deuren van de hangkast open, de broekenhangers tikken van schrik tegen elkaar, jasjes deinen schouder aan schouder en ze vertellen het elkaar: Te duur! Te veel! Jasjes voor alle seizoenen. En dassen! Strepen, stippen, Schotse met franjes... en manchetknopen, dof rinkelend in een fluwelen doos.

'Het is een fat,' zegt middelzus.

'Hij wil niet accepteren dat het voorbij is,' zegt moeder.

'Onverbeterlijk,' zegt eerstezus.

Meneer zal zich moeten aanpassen. Van buitenplaats naar pas op de plaats. En wie niet horen wil moet voelen, dat zeggen de meisjes en die praten moeder weer na. Maar waar zijn gevoel zit weten ze niet, want hoor eens wat hij nu weer heeft geflikt: terwijl iedereen in huis beknibbelt en bezuinigt, heeft hij wéér een paar schoenen gekocht. Tien paar was kennelijk niet genoeg! Zijn aanschaf prijkt brutaal op tafel: zwarte loafers, met glimmende gespen. Daar kan je veterloos mee swingen! Het oude paar was niet geschikt voor jive en jazz. Echt kalfsleer... misschien vinden de meisjes dat nog het gemeenst. Hij kreeg er twee gele stofdoekzakken bij en in elke schoen zit een cederhouten spanner; alleen al die kosten een kapitaal. En van wiens geld? Het huishoudgeld, dus moeders geld. Een schande, zeggen de meisjes, die groot zijn geworden in zuinigheid: niks gooi je weg in het leven, een oud vest haal je uit en brei je tot sok en een gat in je sok maas je weer heel. Je groeit met de afdankers mee. Schoenen lap je, ook als er een teen doorheen piept: rondje erop en je loopt met een mooie pleister van leer. Zo gaan zij naar school!

Meneer Java zegt: 'Wie veel heeft, verslijt minder.' Hij houdt de glanzende zolen op. Er staat een wapen onderin gebrand. Alleen een koning danst op zulke schoenen.

'Had je niet kunnen wachten?' vraagt moeder.

'Ze zien er duurder uit dan ze zijn,' zegt hij.

'We moeten een nieuwe boiler voor de winter.'

Moeder kan er slecht van slapen. De meisjes hebben hem zijn nieuwe schoenen zien strelen. 'Bij God, nu vraag ik je: welke man streelt een schoen!'

De schoenen blijven zeuren, tot moeder ze uit hun zakken haalt en in het vet zet, zadelvet, heel beheerst, maar het huis hinnikt ervan. Ze trekt een vies gezicht als ze de loafers in hun gele zakken doet en strikt een dubbele knoop erop. In de hutkoffer ermee en de sleutel in de geheime la van het schrijfbureau verstopt. De schoenen stikken haast. 'Zo blijft het leer soepel,' zegt ze, 'we stellen hun dans een paar jaar uit.'

De meisjes begrijpen het: 'We moeten hem tegen zichzelf beschermen.'

Glenn Miller blijft voorlopig in zijn hoes.

achter het gordijn 1

De meisjes verzamelen in de fietsengang, achter het gordijn. De jongen volgt hun voeten en luistert ze af.

'Dat kan zo niet langer.'

'Mammie wordt gek van hem.'

'We hebben niets aan hem.'

'Bespottelijke man.'

'Hij kost alleen maar geld.'

'Hij moet weg.'

'Het is een kat in de zak.'

Paardman

Meneer Java spreekt de paardentaal, zijn stem doet hun oren trillen. Ook boerenknollen kunnen hem verstaan. Het leren zadel is hem vertrouwder dan zijn moeders schoot, hij leerde lopen tussen paardenbenen. Zijn vader had een stoeterij, hof en leger kochten daar. (Vroeger, voor de oorlog, overzee, in dat land waarvan hij de naam liever niet uitspreekt – zijn geboorteland.) Schatten hebben ze ermee verdiend... Paardje-dek-je, paardje-strek-je. Kijk maar in de fotoalbums: plantages, renbaan, buitenplaats met withouten veranda's en witgesteven bediendes, een roomkleurige Hispano Suiza... maar het is allemaal verdwenen, vervallen aan oorlog en opstand. Sinds de overtocht probeert hij niet meer om te kijken. Heimwee is zwakte.

Ook in het nieuwe land eten paarden uit zijn hand. Als hij thuis voor het raam staat – en dat doet hij elke dag: naar buiten kijken is zijn beroep – ziet hij in het bos aan de overkant het bruin van hun ruggen tussen de dennen glanzen. Daar ligt de paardenwei. Een landje van verlangen, maar onberijdbaar. Het zijn schillenboerenpaarden, oud, schonkig en doorgezakt, schuw door getreiter op straat. Ze laten zich nauwelijks door vreemden aaien. Maar hij plukt klaver voor ze in de bermen en blaast ze zachtjes in hun neus. Als dank likken ze zijn vingers en na een paar voederbeurten steekt ook het schuwste paard zijn hals naar hem uit, bedelend om een hand die door zijn manen kroelt. Hij spreekt ze moed in, want hun wei is een voorportaal van het slachthuis: eenmaal op krachten worden ze rookvlees.

Het dorp telt meer paarden. Gezonde, sterke dieren, gehouden in een grote stal achter het duin, niet ver van het strand. Ze spelen niet, ze staan paraat: het zijn de reddingspaarden. Zeeuwse knollen, zwaar, hoeven als boeien, manen van touw en benen sterker dan roeispanen – ze trekken de boten recht de branding in, hun spieren gespannen als kabels. Zodra de mannen van de reddingsbrigade de boot op eigen kracht naar het schip in nood kunnen roeien, zwemmen de paarden terug naar de kant; dan dansen hun manen als kragen en krijgen hun staarten franje. Als meneer Java dat ziet, trilt hij van geluk.

Na het luiden van de noodklok werd de hele familie uit bed getrommeld, soms midden in de nacht, arm in arm naar het strand. Moeder en de meisjes geloven het met de jaren wel, maar dat joch sleurt hij nog altijd mee.

De jongen kan niet tegen de paardengeur, maar hij doet zijn best van ze te houden. Helemaal sinds de gemeente meneer Java heeft aangesteld om de knollen los te rijden. Die dieren staan maar te verstijven in hun stal, wachtend op scheepsrampen die veel te weinig plaatsvinden, en als de noodklok luidt moeten ze tegenwoordig ook vaak binnenblijven omdat aangrenzende kustdorpen hun paarden voor tractoren hebben verruild en veel sneller kunnen uitrukken. Het was een idee van meneer Java, hij heeft er zeker twintig brieven aan gewijd en uiteindelijk is de burgemeester gezwicht: nu mag hij zich officieel paardengymnastiekmeester noemen. Een erkenning – al krijgt hij er geen cent voor. Want, dat liet de burgemeester hem nog wel schriftelijk weten, het is een gunst.

'Paardman' noemen de meisjes meneer Java soms achter zijn rug. En dat weet hij: het is een naam waar hij trots op is.

Voor meneer Java komt de droom van zijn jeugd weer binnen handbereik: een eigen stal. Acht schuddekoppaarden waarmee hij uit rijden mag gaan. Logge trekkers zet hij aan tot een verheven loop, onder zijn benen draven Zeeuwse knollen in een ander land, niet door de klei waar de ploeg hun front breed heeft gemaakt en hun hoeven plomp, maar langs hoge paden tussen theeplantages. Het liefst rijdt hij ze bij eb over een nat glimmend strand, wanneer de wolken als bergen in het water spiegelen en daar dan in galop doorheen. Spetterend zijn paradijs verstoren. Want heimwee is zwakte.

Dat nu uitgerekend zijn enig kind allergisch voor paarden is. Zodra hij in de buurt van een paard komt, loopt hij al rood aan. Hoe kan het met zo'n stamboom? Een geslacht van boeren aan de ene en paardmannen aan de andere kant, generaties lang, en dan plotseling deze broze scheut... terwijl hij en zijn vrouw toch alles geslikt hebben om een weerbare zoon op de wereld te zetten.

De jongen denkt er anders over. Laatst, toen hij alleen de stal moest vegen, heeft hij een van die knollen een vreselijke klap met zijn bezem verkocht. In paniek. Of was het gemenigheid? Het beest kon er een week niet van lopen. Niet hij is bang voor de paarden, de paarden zijn bang voor hem.

Paardman weet dat niet.

antistof

Nog geen maand na de kernproeven kwamen de eerste signalen. Moeder ving ze op: het nieuws was net afgelopen, het radiodansorkest speelde zijn herkenningsmelodie en plotseling hoorde ze een vreemd geroffel... morsetekens, dacht ze, een signaal van een planeet in nood. Meneer Java zei dat ze zich maar wat in haar hoofd haalde. Ze sliep slecht en dan hoorde je wel meer rare geluiden. Iedereen sliep slecht, hij ook. Om haar gerust te stellen gingen de meisjes nog even buiten kijken, maar het geluid was allang door de wind in de dennen opgeslokt. De radio moest wel uit en een vreemde stilte sloop toen door het huis. De volgende avond klonk het geroffel opnieuw. Meneer Java weigerde het te horen. En zo ging het al dagen. Ook vanavond zit de familie naast de radio. Maar het toestel doet het niet. De knop glijdt stom langs de zenders. Zelfs De Stem van Amerika zwijgt. En toch klinkt de roffel op. Het kwam dus niet uit de radio.

De geraniums beven in de vensterbank. Na een paar rare warme dagen is het weer ineens omgeslagen en krimpen de tochtstrips in de kieren. Een gemene oostenwind trekt over het land, de krant verwacht een Siberische winter. Er zijn vreemde ganzen uit de taiga's in het waterwingebied neergestreken, maar moeder heeft ook een leeuwerik met takjes in haar snavel af en aan zien vliegen. De natuur bewijst wat zij al dagen zegt: het klimaat is in de war.

De jongen heeft op het strand monsterlijk grote kwallen gevonden. Ze waren niet in stukken te hakken. Hij zag oorlogsschepen voorbijvaren, de dag daarvoor hoorde hij straaljagers achter de wolken. Hij durft het thuis niet te vertellen; in de buurt van de radio moet hij zijn mond houden – zelfs als er naar de stilte wordt geluisterd.

'Deze keer kwam het wel heel dichtbij,' zegt moeder als meneer Java de radio de rug toe draait en wijdbeens voor het raam gaat staan, handen in de broekzakken. 'Staan er ramen open?'

'Met dit weer zeker.'

'Is de staldeur dicht?'

'Ik ben vlak voor het eten nog gaan kijken.' Ze had het kunnen ruiken, de geur van stro hangt nog in zijn jasje.

'Moet je toch niet...'

'De balk zit ervoor,' zegt hij korzelig. Zijn gedachten zijn er niet bij, hij is boos op de radio.

'Ik heb een vreemd voorgevoel,' zegt moeder. 'Wie gaat?'

De meisjes niet, ze hebben net de afwas gedaan. 'Het is

mannenwerk,' zeggen ze. Meneer Java masseert de spieren om zijn hart – hij is te uitgeput. Moeder staat op, loopt naar de gang en haalt daar de sleutel van de stal van het haakje. De meisjes knikken naar de jongen. De jongen kijkt naar de donkere ramen. De stal ligt achter het grote duin, wel vijf minuten lopen van het huis. Het is pikdonker, maan en sterren houden zich schuil.

'Hé, er wordt je wat gevraagd.'

Hij hoort niet wie het zegt, de roffel zit nog in zijn oren, maar hij weet wat er van hem verwacht wordt. Alle ogen wijzen naar hem, ze bliksemen op zijn hoofd, zijn wangen gloeien ervan. 'Hé, jij daar.'

Thuis heet hij: hé jochie, vent of jongen of naar het karwei dat hij moet verrichten: poetser, stoffer, veger. En soms, als de meisjes vrijerig zijn, noemen ze hem heel lief broer. Nooit bij zijn naam. Maar goed ook, want hij heeft een hekel aan zijn naam. Het liefst had hij elke dag een andere.

'Hier,' zegt moeder, ze gooit de sleutel naar de jongen, die moet bukken om hem niet tegen zijn hoofd te krijgen, 'het is jouw beurt.'

'Maar dan moet ik de hele nacht weer niezen.'

'En neem een paardenhaar voor me mee.'

'Eeeech.' De jongen maakt kokhalsgeluiden. 'Waarom is dat?'

'Als bewijs dat je in de stal bent geweest.'

De jongen trekt zijn jas en kaplaarzen aan, zoekt een volle stormlamp in de gang en pakt de bijl. De wind is fris en scherp, de lamp blijft branden. Hij niest niet, heeft het niet benauwd: hij heeft zijn wapen. Een zware bijl die ijskoud aan zijn vingers voelt, daar hak je kelen mee door en op hol geslagen paarden en Russen en marsmannen en waakse ganzen. Hij ruikt aan het ijzer om zijn neus te kalmeren. Niet híj is bang, maar zijn neus is soms bang, voor

paardenhaar, stof... atomen uit Siberië. De bijl maakt hem
rustig. Hij houdt een paar keer zijn adem in om goed te
kunnen luisteren, naar elk geluid apart: de branding, de
zee in de dennen, de wind in het helm, het klappen van
zijn laarzen tegen zijn kuiten. Achter het duin klinkt plotseling het geroffel weer – hard en houterig. Hij werpt zich
op de grond, klampt zich vast aan de bijl, en luistert, en
zoekt met een scheef hoofd de lucht af... De vliegende
schotels en raketten vertonen zich niet. Mest vult de lucht,
paardenstank die in de luwte van de duinpan is blijven
hangen. Zijn ogen tranen, zijn spieren kloppen in zijn
nek, een niesbui komt op. Hij probeert de jeuk weg te slikken. Ja, het moeten de paarden zijn, onrustige hoeven tegen het beschot.

De jongen houdt de lamp hoog en kruipt naar de stal. Hij
inspecteert het slot: alles dicht, onaangeroerd. En binnen
roffelt het. Zijn bijl ratelt tegen de geteerde planken van de
stal, de paarden hinniken. De jongen praat tegen de staldeur zoals hij meneer Java dikwijls hoort doen: 'Goed
volk.' Het geroffel houdt op. Dan praat hij tegen zijn bijl,
zuigt zijn longen berstensvol en blaast zijn angst uit. De
knop van de staldeur voelt droog in zijn hand.

Snel de lamp aan de haak, de bijl op de grond, naar de
eerste box... zijn asem klopt achter zijn ribben. Het paard
deinst achteruit. Aai paard, braaf paard – twee klapjes in
de nek. Zijn ogen tranen... op de tast trekt hij een haar uit
de manen. Het paard briest, schraapt in het stro. Lamp en
bijl weer opgepakt. De koude lucht in, schoonwassen die
longen. De kwijl lekt op zijn jas. Maar in zijn vuist klopt
zijn vangst, niet één haar, een hele dot heeft hij uitgerukt.
In zijn broekzak ermee, ver van zijn neus... Bijl in de aanslag, lamp hoog en naar huis. Het ijzer schittert, de bijl tilt
hem op, hij vliegt erachteraan. De ridder heeft zijn taak
volbracht.

Meneer Java staat zwart voor het raam, de meisjes doen net alsof ze lezen, moeder zit met naald en draad onder de schemerlamp, de pyjama van de jongen op haar schoot. Alsof er nooit gevaar is geweest. 'Het waren de paarden,' zegt de jongen. 'Misschien onrustig van de muizen,' denkt eerstezus. De meisjes halen opgelucht adem. Meneer Java vloekt binnensmonds. 'Die dieren voelen iets, weten meer dan wij.' Moeder houdt haar hand op, een stille hand die vraagt om het bewijs. De jongen geeft haar de dot. Ze zoekt de langste haar uit en wikkelt hem om de bovenste knoop van het pyjamajasje. 'Als je hiermee slaapt, bouw je antistoffen op,' zegt ze. 'Je moet het overwinnen.' Nee, moeder is niet bang, nooit geweest. Ze is niet alleen slim, ze is ook de verstandigste vrouw die hij kent. Met zo'n moeder kom je de oorlog door. Al stikt hij die nacht in zijn bed, ze houdt van hem.

kopkracht

Meneer Java staat met zijn handen in zijn zakken voor het raam. Zwart en gevaarlijk staat hij daar. Hij luistert naar de radionieuwsdienst. Hij is niet blij dat de radio het weer doet, hij is woedend: zijn oren trillen, zijn handen bollen tot vuisten en de bilnaad in zijn broek staat op barsten. Hij tiert, meneer Java, hij scheldt op de nieuwslezer: 'De lummel, wat weet die praatjesmaker ervan. Collectieve veiligheid... voor je het weet staan ze ook hier voor de deur. Stelletje kletsmeiers. Halfzachte pacifisten.' Zijn zoon zit achter hem, aan de eettafel, deksel van de tekendoos open, een groot wit papier onder beide handen. Hij tekent een reus voor een beslagen raam, zwart tegen grijs, en links en rechts een vensterbank met geraniums. Hij tekent er een radio bij – een doos op poten. De doos braakt een ballon, een praatballon zonder woorden, al weet de jongen precies wat erin zou moeten staan. Hij kent de tirades uit zijn hoofd, hoort ze elke dag... maar opschrijven durft hij ze niet.

'Dat wordt weer koffers pakken,' zegt meneer Java. 'Maar waarheen?' Hij draait de radio de nek om en keert zich naar de jongen... 'Weg, weg,' gromt hij, de g's schrapen tegen het behang. Hij sluipt naar de tafel, speelt alsof de vijand hem op de hielen zit.

Een schot! De jongen schrikt op.

Meneer Java heeft met één vinger het deksel van de tekendoos dichtgeklapt. 'Voor je het weet zit je gevangen, als een potlood in een doos.' Hij laat de tekendoos rammelen. Hard. Dicht bij de jongen zijn oor.

'Niet doen,' roept die, 'pas op de punten...'

'Hoor ze jammeren,' zegt meneer Java. 'Nu kunnen ze niet kleuren en krassen... of schrijven... zitten ze stom in het donker... dat kan jou ook gebeuren.'

Het komt allemaal door het nieuws. Nieuws dat uit moet als moeder in de kamer zit. Maar ze is met de meisjes naar de stad, dus vandaag luistert meneer Java elk uur. 'Als ze je gevangennemen, onthoud dan één ding: breek niet.' Hij schuift zijn stoel vlak naast de jongen en fluistert: 'Wees als riet: buig, ga liggen als het stormt, maak je klein als het moet, maar kom weer overeind. Denk aan iets anders en maak je onkwetsbaar... Kopkracht, daar komt het op aan, kopkracht is de beste verdediging. Yogi's hebben het, fakirs... er zijn yogi's die hoog in de Himalaya voor hun grot zitten en de sneeuw om zich heen laten smelten, een geoefend fakir kan een spijkerbed verdragen. Moet jij op den duur ook kunnen...'

De jongen kijkt hem bang en ongelovig aan.

'Ik zal het je leren... Het is een oude kunst. Kopkracht

verdrijft honger en pijn. Kopkracht houdt je overeind, waar je ook zit... in een veewagen, in de gevangenis, een martelkamer of Siberisch werkkamp...' Meneer Java grijnst, opent de tekendoos, laat een potlood op één vinger dansen. Een potlood met een scheve gele punt. Hij lacht om die kleur, zonnebloemgeel. 'Met kopkracht kun je kleuren zien, zonnebloemen ruiken, ook als het om je heen stikdonker is.'

Zelf heeft meneer Java er veel baat bij gehad, vroeger... Een oude man leerde het hem en die had het van een Indiër en het was een plicht die kunst weer door te geven... 'Vreemd, dat me dat nu weer allemaal te binnen schiet.' Hij kon zich wel voor zijn kop slaan. Hij slaat zich ook voor zijn kop – met de vlakke hand.

Wat je ervoor nodig hebt? Je kop dus. Dromen, wensen, herinneringen, die rare neus van jou... alle zintuigen om je hersens mee op te porren.

Regels? Zijn er niet. Hoewel? Je moet veel trainen, zoals met alles in het leven.

'Neem een kleur in gedachten,' zegt meneer Java.

De jongen schuift zijn tekenpapier opzij.

'Heb je er een?'

Hij knikt ja.

'Denk je aan iets?'

Weer een knik.

'Denk er sterk aan, heel sterk...'

De jongen denkt zichtbaar, knijpt zijn ogen erbij dicht.

'En, en,' vraagt meneer Java smekend, 'gaan je gedachten al op reis?'

Nee, de jongen schudt heftig nee.

'Onmogelijk! Dat moet, gaat vanzelf... Wat zie je voor je?'

'U.'

'Mij? Wat een eer! Maar ik ben toch geen kleur?'

De jongen kijkt met een scheef oog naar zijn tekening.

'Of bedoel je dit pak...?' Meneer Java wrijft over de stof: 'Harris Tweed. Mos-... eh... palmgroen. Kom op, waar denk je aan als je dat ziet?'

'Aan u,' zegt de jongen beteuterd.

Zucht, diepe zucht. Meneer Java loopt boos de kamer uit.

Maar in het hoofd van de jongen verzet meneer Java geen stap, hij blijft staan waar hij stond, met zijn handen in zijn zakken voor het raam. Zwart in het tegenlicht. Daar staat hij zolang hij zich herinneren kan. Van de vroege ochtend tot de late middag. Een standbeeld in tweed, luisterend naar onveranderlijk nieuws.

Alleen aan tafel, boven zijn tekenpapier en luisterend naar meneer Java's stappen op de gang, denkt de jongen aan zijn kinderbed, zomaar, zonder er zijn best voor te doen, alsof een onzichtbare hand hem naar de slaapkamer voert. Een bed dat hij al jaren is ontgroeid. De geur van de matras dringt zich op: zeegras en pis van arme kinderen. Het geluid ook: een voetstap op bevroren mos. Stank mag hij het niet noemen. Het is een bed om dankbaar voor te zijn, een geschonken bed en schenken is een edeler vorm van geven. Zoveel in huis is geschonken. De familie hult zich in dankbaarheid. De spijlen van het bed zitten los, piepen bij het draaien; tokkel je tegen de hele rij, dan speel je gitaar. Hij ligt op zijn buik, met zijn hoofd naar het voeteneind, onder de dekens. Hij zoekt iets. Het is donker... hij kan de uitgang niet vinden. Hij stikt bijna... De herinnering stokt... Zwart. Tralies... meer komt er niet, hoe hij ook snuift.

Is dit wat meneer Java bedoelt?

De jongen houdt de herinnering voor zich.

orenverdriet

Meneer Java maakt zijn oren schoon, voor het raam. Eerst met zijn pinken, om het vet los te maken, dan met een schuifspeld om het gangetje schoon te krabben. Als hij een vol oogje heeft en de kleur van het geel keurt, tevreden brommend bij een donkergele sliert, veegt hij zijn vangst in zijn zakdoek. 'Vet is een verdedigingsmiddel van het gehoor,' zegt hij. Dat krijg je als je om het uur naar het nieuws luistert. Bovendien produceert het oor in koude landen meer vet. Het zijn dingen die je weten moet.

Meneer Java houdt zijn zakdoek op: orenverdriet. 'Tranen zijn het... ze smachten zo naar andere geluiden. Niet naar nieuws, maar naar vogels. De vogels van vroeger. Wat hoor je hier 's nachts voor geluiden? Lig je hier ooit behoorlijk bang in je bed? Kraakt er ooit een tijger door het struikgewas, sist er ooit een slang op de veranda?'

'De zee,' zegt de jongen.

'De zee... ja, ook mooi...' zegt meneer Java. 'Maar wat een verdrietige kleur.'

Meneer Java gaat zitten. Krak, zegt de bilnaad van zijn broek. 'Goede kleermakers kennen ze hier ook niet,' moppert hij gelaten.

het fotoalbum

Meneer Java slaat zijn fotoalbum open. Het is maar een paar centimeter dik en toch kan hij er helemaal in verdwijnen, in de weidse valleien, plantentuinen, brede rivieren, vulkaankraters. In de oorlog is hij al zijn foto's kwijtgeraakt, later hebben zusters en verre tantes het verlies weer goedgemaakt en hem van alles uit hun eigen albums opgestuurd. En nu kan hij zijn jongen laten zien hoe rubber groeit, en koffie en thee, en hoe de inlanders fuiken zetten. Nee, hij heeft geen heimwee, heimwee is zwakte. Hij wil uitleggen, de jongen moet er wat van opsteken. Kijken is leren. Hij spelt namen uit flora en fauna – hoe exotischer hoe beter –, hij tekent vruchten, zaden, vreemde vinnen, wonderlijke snavels. De jongen zou het allemaal wel willen onthouden maar hij draait de woorden om, haspelt lettergrepen door elkaar, en als er iets blijft hangen, legt hij de klemtoon verkeerd en lacht de hele familie hem uit. Hij kijkt dus stil en volgt gedwee de gele wijsvinger van zijn gids. Wel voelt hij een bloedzuiger op zijn been als meneer Java vertelt hoe hij vroeger door de mangrovebossen moest waden en hoort hij werkelijk de golfslag onder de bodem van een vlerkprauw – kopkracht, hij leert het al. En ziet hij die deftig aangeklede mensen, verzameld op kades en perrons of op bezoek bij de gouverneur, dan is hij blij dat hij hun witte schoenen niet hoeft te poetsen.

Al bladerend vergeet meneer Java zijn 'aanschouwelijk onderwijs' (zo noemt hij het, om telkens weer met zijn jongen het album op te kunnen pakken). Zijn vinger staat steeds langer bij de mensen stil – niet bij zichzelf, hoewel hij bijna overal op staat, in zijn witte pak, rijbroek of uniform. Hij groet de mannen op de foto's... Bijna allemaal dood. Sinds de vrede – 'gewapende vrede', volgens meneer Java – bestaat zijn familie grotendeels uit weduwen. Maar het album houdt iedereen levend. De doden lopen gewoon boven de grond, brengen hun paard naar de stal, schuiven een stoel aan op de veranda en heffen het glas... Ze luisteren naar muziek en stellen de oorlog uit. Als meneer Java een bladzij omslaat, hoort de jongen de lange rokken van de dames ruisen... Vroeger was gisteren, minstens twee keer per week. Om van te leren.

Behalve paardenman blijkt meneer Java ook een vrouwenman te zijn, want in zijn album liggen de vrouwen duidelijk op kop. Ook zij hebben allemaal een naam. Jong en oud. De jongen verbaast zich telkens weer hoe snel het groeien op de foto's gaat. Sneller dan rubber, koffie en thee. Nichtjes klimmen van moeders schoot op paarden-ruggen en schoolvriendinnen krijgen in één bladzij bus-tes. Ze verkleden zich als tennisster, rallyrijdster, amazone – dat vooral – in klassieke zit met lange rok of sportief in broek, schrijlings te paard. Omhooggeholpen door een jonge Java, of van het zadel in zijn armen glijdend. Gevan-gen in sepiabruine snapshots, stuk voor stuk opvallend blond en allen in witte inkt ingeschreven, eeuwig jong ge-houden tussen de spinnenwebbladen van het fotoalbum.

'Taai zijn ze,' zegt meneer Java. En alleen al daarom ver-dienen vrouwen in de tropen respect.

'Ook de meisjes?' vraagt de jongen.

'Juist de meisjes, die hebben hun moeder gered.'

De jongen kent de verhalen. Zijn zussen zijn heldinnen in de oorlog geweest. Moeders voor hun moeder... Toen ze met hongeroedeem op bed lag, zijn zíj op voedseljacht ge-gaan. En ook meneer Java heeft zijn leven aan een vrouw te danken... Hij zegt het dromerig, maar de jongen recht wakker zijn rug: dat hoort hij voor het eerst. 'Staat ze in het fotoalbum?' vraagt hij gretig.

'Toen nam niemand meer foto's.'

'In de oorlog?'

'Nee, daarna...' De jongen moet de woorden uit hem trekken... 'Tijdens de opstanden... Bijzonder was ze... sterk, intelligent.' Ze bracht hem terwijl hij gewond was naar een veilige schuilplaats... en ze kon 's nachts heel goed zien.

'Hoe heette ze?'

'Blue girl.'

De jongen kijkt hem verbaasd aan: 'Rare naam.'

'Niet voor een paard,' zegt meneer Java. 'Ze was een

mooie, donkere Seglawi...' Geschrokken van zijn eigen antwoord – alsof hij betrapt is – vermant hij zich: 'Eh... van een vrouw gekregen.'

Vrouwen, ze slepen je erdoorheen.

Meneer Java klapt het fotoalbum dicht. Vroeger is voorbij.

'Ik wil ook naar Indië,' zegt de jongen.

'Nee, dat kan niet meer, nooit meer.' En trouwens, hij wil die naam uit een jonge mond niet horen. Zo heet het niet meer in de atlas, en ook niet op de globeschemerlamp die hij de jongen voor zijn verjaardag heeft gegeven.

Meneer Java wil ook eigenlijk niet over die tijd praten – kijken is genoeg, de foto's spreken voor zich. Het gaat om de lessen. En dit keer heeft zijn jongen kunnen zien hoe je vrouwen in het zadel helpt, hoe je een stoel aanschuift bij een diner en dat je pas mag gaan zitten als de dames zitten... Galant zijn tegenover vrouwen, dat leert het album hem vandaag. Tropenmanieren. Dus wat hij voortaan onthouden moet: regel dragers als de rivier buiten zijn oevers treedt en kijk, als een dame wordt opgetild, nooit onder haar rokken. Op de loopplank gaat de man voor, om de vrouw halverwege een helpende hand te kunnen bieden. Het is een eer haar tennisracket te dragen, haar paard te roskammen. Help haar in of uit de auto en is het een cabriolet: dek haar af in de wind. En als ze uitgaat, help haar met de knoopjes op haar rug. En geen rare gezichten trekken.

De jongen knikt ernstig en neemt het zich voor... Maar thuis, hoe moet dat dan thuis? vraagt hij zich af. Geen auto, geen rivier in de omtrek, een zee die braaf achter het duin blijft. Pingpong en geen tennis. Thuis dineren ze ook niet, thuis eten ze gewoon warm en nooit schuift iemand een stoel voor een dame aan. De foto's blazen meneer Java op, hij waant zich deftiger dan hij is – tot hij ploft – want de jongen weet maar al te goed hoe het aan tafel toe kan gaan: één verkeerd woord, gegiebel, of een servet dat per ongeluk op de grond valt en er knalt een juskom tegen de muur. Zomaar. Door een kleine trilling van meneer Java's hand. En al zegt hij daarna tien keer 'sorry', het is moeder die haar stoel naar achter schuift om de schade op de vloer op te nemen, het zijn de meisjes die op hun knieën met stoffer en blik de scherven bijeenvegen en de jongen lapt dan het behang. ('Niet wrijven, wrijven slijt.') Heel, heel voorzichtig, met een lauw sopje... maar de vetvlekken krijgt hij niet weg. De eethoek wordt vier keer per jaar opnieuw behangen.

En als moeder met een zware tas uit het dorp komt, staat meneer Java met zijn handen in zijn zakken voor het raam – hij ziet haar niet eens. Zelf ligt de jongen het liefst op de grond en geniet hij van het uitzicht als de meisjes over hem heen stappen. Zo gaat het thuis, binnen.

En buiten? Hebben de mensen buiten wel tropenmanieren? 's Zomers op het strand hoor je mannen tegen hun vrouw kijven en zie je jongens meisjes natspatten. Sommige vrouwen roken op de boulevard – iets waar meneer Java ook fel op tegen is – en andere stiften hun lippen in het openbaar... nog erger is dat. Soms ligt er een peuk met een rode zoen in de goot, dan tref je dubbel onfatsoen.

'Derdeklasmanieren,' zegt meneer Java, 'van het zurewashandjesvolk.'

Op de foto's van vroeger zie je dat volk niet.

schrijfles

Meneer Java kijkt op de klok. Vijf over negen. De lampen van de radio suizen nog na, het nieuws is geweest, hij heeft er samen met moeder naar geluisterd. Voor het eerst sinds tijden. Beheerst, zoals zij dat wil, al kon hij een kleine binnensmondse vloek niet onderdrukken, maar uiterlijk bleef hij rustig: de valeriaandruppels lijken te helpen. Moeder verlaat dan ook vergenoegd de kamer, om snel op de fiets naar naailes te gaan.

Meneer Java besteedt zijn morgen net zo nuttig. Elke morgen geeft hij zijn jongen huisonderwijs, zes dagen in de week, zolang zijn gezondheid hem niet in de steek laat – rekenen, taal, aardrijkskunde en levenslessen uiteraard. De tijd van spelend leren is allang voorbij.

Waar blijft dat joch trouwens? Zoëven hoorde hij hem nog. Hij weet dat hij op tijd moet zijn, het nieuws is zijn schoolbel. Meneer Java tikt op zijn horloge, trekt een stoel naar zich toe en gaat aan de grote tafel zitten. Zijn rechterschoen voelt een arm, een rug, een been... De schoen schopt. De handen boven tafel verraden niets, ze leggen een stapel witte vellen recht. Rechter dan recht, naast vulpen, potlood, gom, schrift en puntenslijper. Het gereedschap van de meester.

'Ik was eerst,' roept de jongen als hij onder de tafel uit kruipt.

'Vandaag zal ik je iets bijzonders leren,' zegt meneer Java, 'we gaan de letters aan elkaar schrijven. Niet langer dat onbeholpen bloklettergekriebel, maar hele woorden en zinnen maken, vloeiend aaneen en goed gespeld.'

De zon breekt door en ze kijken tegelijk op naar het raam, alsof ze op dat moment allebei de zegen van boven vragen. Nu zullen ze voor altijd het weer bij deze les onthouden: een zonnige wintermorgen.

Het is de bedoeling dat de jongen de eerste klas zal overslaan, maar in de praktijk streeft meneer Java naar meer: meteen door naar de derde klas! de vierde! Al jaren slaagt meneer Java erin zijn jongen van elke school weg te houden. Kleuterschool? Onzin. 'Met vouwen en vlechten red je het niet. Ja, lianen vlechten om vlotten mee te bouwen, maar daar hebben we geen juf voor nodig.' Meneer Java is zelf specialist. Aangezien de meisjes ook nooit op een kleuterschool zaten, en rekenen en taal ergens ver weg in de rimboe hebben geleerd, tilde moeder er aanvankelijk niet zwaar aan dat meneer Java thuis voor onderwijzer speelde. Maar nu trekken de instanties aan de bel. 'Wordt het niet tijd voor een echte school?' vraagt ze keer op keer als ze die twee gebogen over tafel ziet.

'Nog te speels voor een grote klas,' heeft meneer Java het hoofd der school geschreven, 'en onvoordelig jarig en allergisch.' Hij vertrouwt het Nederlandse onderwijs voor geen cent: 'De beste school is de levensschool.' Bovendien beschikt hij over meer tijd en aandacht dan een juf of meester zijn jongen ooit kan geven. Hij broedt hem zelf wel uit: dit is zíjn pupil! Ze zullen versteld staan van het resultaat.

Meneer Java pakt een glanzend geel potlood van tafel. Een nieuw potlood voor een nieuwe les: 'Dit is een echte Koh-i-noor, het beste potlood ter wereld. Geen zee, geen zweet, geen tropenzon wast het grafiet weg. Wat hij schrijft blijft. Je moet er alleen mee om kunnen gaan, want hij lijkt zo stijf in zijn houten jas, maar in je hand is hij grilliger dan een slang. Kom, wij gaan hem temmen.' Hij laat het potlood op de palm van één hand rollen en wrijft het tussen beide handen warm. Een geur van vuur en hout stijgt op. 'Zo breng je een potlood in de goede stemming en krijg je een soepele hand.' (De jongen kent de truc al sinds zijn eerste kleurdoos, maar meneer Java gelooft in de herhaling. Hij doet alles voor, niet éénmaal, liefst honderd keer, tot het blind blijft hangen.) Dan slaat meneer Java zijn vingers los en rekt de kootjes op. Als hij is uitgekraakt, steekt hij zijn rechtermiddelvinger omhoog. 'Dit is een schrijfbobbel,' zegt hij, wijzend op de uitstulping links naast de nagel. 'Een nobel eelt waar je hard voor zult moeten werken.' (Meneer Java weidt graag uit, hij verbindt aan al zijn onderwijs praktische levenslessen, want de jongen moet zich in de wereld kunnen redden en wil hij weten wat voor vlees hij in de kuip heeft, dan is het raadzaam al bij de eerste ontmoeting naar de vingers van de mensen te kijken. Een spatelduim? Een bouwvakker, let maar op. Gekleurde nagelriemen verraden schilders, de roodomrande horen bij de slager, het zwarte eelt bij tuinders, de lange vingers bij geneesheer en pianist, de doorprikte bij de modinette, maar de witte fijngetuite bij de kleermaker want die draagt dag in dag uit een vingerhoed... 'Als de politie een aangespoeld lijk vindt, kijkt ze eerst naar de handen, dan weten ze de helft al.')

Meneer Java leent zijn middelvinger uit – zijn pupil mag voelen. Een schrijfvinger pur sang. Geel van de nicotine. De rook krult eruit op. Warm en gespierd is de vinger, jaren van opgetaste ervaring zinderen onder het eelt. De schrijfbobbel klopt, zwelt, gloeit... een vulkaan wordt hij, een Krakatau van kennis. Van schrik krast de jongen met zijn duimnagel er een kruisje in, zoals hij gewend is met zijn galbulten te doen, om de jeuk weg te drukken. En daar schrikt meneer Java weer van, de hand schiet uit... Het schrijfeelt brandt op de jongenswang.

'Dit wordt je wapen,' zegt meneer Java en hij plant het potlood tussen de klamme jongensduim en -wijsvinger en laat hem steunen op de middelvinger, daar waar de schrijfbobbel moet groeien. Een oude hand leidt een jonge hand over het papier. Een punt, een streep, op en neer van links naar rechts. Ze schrijven letters. Licht voelt de houten zonnestraal. De letters rijgen zich aaneen, scheef maar toch stevig, met hoge halen en krullen en vlaggen. Dit nu is schuinschrift. Zo heeft meneer Java het overzee geleerd, letters met de wind in de rug. En zo zal zijn pupil het leren... Ze schrijven zijn naam. De jonge hand stribbelt tegen...

Krak. Daar breekt de punt. Zie je wel, als hij naar de dingen kijkt, gaan ze al kapot.

'Juist omdat je niks met je handen kan, móét je goed leren schrijven,' zegt meneer Java. 'Je bent voorbestemd tot een hoofdberoep.'

De Koh-i-noor weegt ineens loodzwaar.

Uren oefenen ze aan tafel. Knie tegen knie. Arm aan arm, hij met zijn Koh-i-noor, meneer Java met zijn vulpen. Voorschrijven, naschrijven. De pupil kopieert de meester. Steeds schuiner met steeds statiger halen. De pupil zuigt het op. Korte woorden. Lange woorden. Woorden waar hij alleen de klank van kent.

Meneer Java zegt: 'Er schuilt gevaar in ieder woord.' En hij wijst hem waar de vijand zit. In letters die elkaar inslikken, of die zich onder je hand omdraaien. Een kleine b die zich in een d verandert. Een grote R die de andere kant uit wandelt. In een m die onderduikt als w. De letters moeten een vaste vorm in zijn hoofd krijgen. Hardop lezen moet hij ze. Inprenten. Herkennen. Beitelen die letters. Overtrekken, de langste woorden, waar hij ze ook maar tegenkomt en dan in eigen handschrift daaronder, aan elkaar en schuin.

Juist als de jongen denkt dat hij een moeilijk woord in zijn vingers heeft, glipt zijn potlood weg en lopen de letters de andere kant uit. Meneer Java hijgt over zijn schouder mee; hoe meer fouten hij ziet, des te harder hijgt hij. Zijn vuisten bollen naast het schrift, zijn knokkels worden steeds witter... ook dat herhaalt zich keer op keer. De jongen wil de vuisten naast zich kalmeren... ze aaien. Een zoen op die knokkel waar het bloed uit trekt, een zoen op die dreigende mouw.

'Wat doe je nou,' vraagt meneer Java met een vies gezicht. En hij slaat zijn pupil tot de orde.

Pupil? Hij is die naam niet waard... Als zijn oren rood genoeg zijn, laat de pupil zich onder tafel glijden. Een egel zou zijn stekels opzetten, maar hij werpt zich als een hond op zijn rug.

'Sta op of ik trap je rechtop!' Meneer Java's schoenen doen wat hij zegt.

Gekreun onder tafel, maar daarboven niet minder: meneer Java bijt in zijn eigen hand... zo heeft hij het niet bedoeld... 'sorry, sorry, sorry.' Hij slaat op het tafelblad. Uit spijt. Harder, steeds harder... tot het eelt op zijn vingers kookt en hij gebroken de kamer uit sloft.

Kastdeuren kraken, klerenhaken kletteren en schoenen vallen op de grond. Meneer Java verkleedt zich voor de frisse lucht. Na een woedeaanval moet hij naar buiten – doktersadvies. Hij gaat de reddingspaarden losrijden. Paarden luisteren tenminste naar zijn hand, daar kan hij mee lezen en schrijven...

Een uur later knarst meneer Java de huiskamer in, er zit opgespat zand op zijn broek. Voor hij zich kan omkleden, werpt de pupil zich in zijn armen. Twee handen kroelen door de jongenskrullen, smoren zijn gezicht in de elleboog van de paardenjas. Meneer Java laat hem snuiven tot hij zich hoestend uit zijn greep vecht. Zijn ware beroep is opvoeder te zijn. Met hand en hoofd.

het verschil

Meneer Java is in de stad geweest, een dag tussen de mensen: dingen regelen, paperassen, pensioengedoe, veel lo-

ketten en lange rijen. 'Ik heb vandaag een belangrijke ont-
dekking gedaan,' zegt hij aan tafel.

Wat dan?

Meneer Java houdt zijn mond.

De familie is een en al oor. Lepels stokken in schalen,
borden blijven half opgeschept. 'Eerst nieuwsgierig maken en dan niks zeggen. Kom, vertel op.'

Meneer Java houdt zich Oost-Indisch doof, hij doet raar
sinds hij terug is uit de stad. Totaal afwezig. Bemoeit zich
nergens mee. Moeder mag vies koken, de meisjes rommel
maken en zijn jongen ziet hij nauwelijks staan. Geen radio. Zelfs de krant blijft onaangeroerd. En niet kwaad te
krijgen. Als het eten uiteindelijk toch is opgeschept en
de jongen met zijn mes over zijn bord schraapt – om de
zwijger uit zijn tent te lokken – zegt meneer Java zacht:
'Mijn ogen bewegen te langzaam, iedereen kijkt sneller
dan ik.'

'Hoe kom je daar nu weer bij?' zegt moeder.

'Ik merkte het in de trein,' gaat meneer Java aarzelend
verder, 'flitsende ogen, wie ik ook aankeek, en later in de
stad, zo snel als de mensen daar kijken: opnemen, in-
schatten, doorlopen. Snuffelogen. Het heeft lang geduurd
voor ik het doorhad, maar nu weet ik het zeker: ik heb last
van trage ogen. Ze kijken niet, ze kleven zich vast. En ze laten niet los. Wat ik niet meezeul! Hele portrettengalerijen,
een atlas aan landschappen. Ik zou veel van die beelden uit
willen wissen, maar alles wat gezien is, blijft hangen... Zo
zwaar ja. Snelle ogen kijken lichter, ik merk het ook aan
jullie: *klik klik* gaan die wimpers. Kiekjes, om weer te vergeten. Dat ik dit zo laat moet ontdekken... Daarom begrijpen we elkaar steeds slechter. Jullie pupillen dansen, de
mijne worden steeds stijver.'

De familie probeert hem recht in de ogen te kijken. Wat
een onzin. De meisjes zetten vingerbrillen op. Moeder

haalt er een handspiegel bij. Neuzen drukken tegen neuzen.

'Het is de kern van mijn probleem,' verzucht meneer Java met ten hemel geslagen ogen.

De familie volgt zijn blik (en berekent met een half oog de traagheid van zijn pupillen), tot alle ogen na een dwaaltocht door de kamer stilhouden boven de onbeweeglijke bloemen in het onbeweeglijk damast.

'Is het je nooit eerder opgevallen?' vraagt hij aan moeder.

'Je verbeeldt het je maar.'

'Omdat je sneller kijkt, jij weet maar half wat je meemaakt.'

'Was het maar waar,' schampert ze.

'En jullie?' vraagt meneer Java de meisjes, 'hebben jullie destijds niets opgemerkt?'

De meisjes giechelen. Nee, de eerste keer dat ze hem zagen, zijn ze niet vergeten. En inderdaad, wat hebben ze toen slecht gekeken. Pas na maanden ontdekten ze zijn verschrikkelijke o-benen – op een koud Hollands strand, maar toen, net na de oorlog, waren ze verblind door de rechte vouw in zijn broek. Ze zagen hem dagelijks bij het Rode Kruis; híj zocht zijn vrouw op een lijst, zíj zochten hun vader, een naam zonder gezicht. Sinds de vrede wachtten ze op een levensteken, maanden en maanden duurde het. En plotseling stond daar die man in de rij, een man vol plannen en grapjes... Alle meisjes verlangden in die tijd naar een vader. Ze kunnen het zich nu niet meer voorstellen...

Moeder en de meisjes schuiven naar elkaar toe. O, er komt weer zoveel boven... De jongen laat zich van zijn stoel glijden en wil tussen hen in gaan zitten. Ze gaan niet opzij, ze zien hem niet staan en verbreden zich tot één rug. 'Dat was voor jouw tijd,' zeggen ze, 'jij moest nog geboren worden.'

Meneer Java kijkt wazig over hun zwarte haren heen – zwart waar een blauwe glans op ligt. Aan tafel vluchten ogen voor ogen, maar herinneringen schieten over en weer: o, o vroeger, nee, vroeger hadden ze niets geks aan hem gezien.

'En jij,' vraagt meneer Java aan moeder. 'Waarom zeg jij niks...?'

Ze schudt zich los uit de aanhaligheid van de meisjes en trekt korzelig haar schouders op: 'Als je zo langzaam kijkt: er ligt hier al weken een brief van de schoolinspecteur.'

Mijne Heren

Mijne Heren,
   Wij wensen u te informeren dat ons gezin op sterven na dood is...
Meneer Java schrijft een brief. Hardop. *Mijne Heren, Hoewel het niet mijn gewoonte is keer op keer...* Er zijn zoveel Mijne Heren dat moeder over de postzegels klaagt. De Mijne Heren van Banka-Billiton, de Mijne Heren van Java-Tabak, de Mijne Heren van de Deli Spoorweg Maatschappij. Klinkende namen, dure adressen... maar daar houdt het dan ook mee op. Laaienlichters zijn het, uitbuiters, woordbrekers! En meneer Java wrijft het ze in. Ooit hebben deze heren hem gouden bergen beloofd – en hem niet alleen. Dit keer heeft hij de effectenkist weer opgediept, om de coupons voor eens en voor altijd na te tellen, de codenummers te noteren, en de datum van uitbetaling. 'Vervallen, verstreken, beweren de heren, maar niet volgens mijn kalender!'

De jongen luistert half naar meneer Java's tirades, hij kiest de mooiste plaatjes uit om over te trekken: palmen, een rokende vulkaan, stoomschepen, locomotieven, gehurkte vrouwen met hoeden van tabaksbladeren – het is maar zelden dat de effectenkist op tafel komt.

Meneer Java stoot de jongen aan: 'Hier staat het, zwart op wit, in getallen en letters... zegge en schrijve.' Bewijzen dwarrelen over tafel – aandelen, talons, brieven aan toonder... verkreukeld, gevlekt, ingescheurd bij de vouwen... Berookte vingers tikken op de handtekeningen, de zegels en de bruine doorslagen van de Raad voor het Rechtsherstel.

Rechtsherstel... een woord dat door de hele kamer trilt. Vers uit de kist verstopte het zich angstvallig onder de lampenkap... maar later op de middag, als meneer Java het hele tafelkleed heeft opgeëist en nog meer documenten te voorschijn haalt, als hij zijn sigaretten en briefpapier uitstalt, zijn pennen met giftige inkt vult, de gesteven manchetten van zijn overhemd tot over zijn polsen trekt, ja, dan spietst hij het woord aan zijn pen. Soms stribbelt het tegen en vecht hij ermee, of het vloekt, vlekt en huilt, dan weer zingt het en lacht het. Rechtsherstel. De jongen heeft het overgetrokken en kan het na een lange middag foutloos schrijven, schuin, van voor naar achter en andersom, ondersteboven als het moet. Het is een prachtig woord... rechtsherstel. En lekker: het schraapt de keel, zoent het verhemelte. Na het rechtsherstel komt alles weer goed. Na het rechtsherstel vliegen de gebraden kippen over tafel. Na het rechtsherstel rijdt er een lichtblauwe Buick over de boulevard. En wie zitten erin? Meneer Java en zijn jongen! Na het rechtsherstel lopen moeder en de meisjes in bontjassen, krijgt elke kamer een kachel en... eindelijk, eindelijk: na honderd brieven aan provincie en gemeente zal het mogelijk zijn de wc met papier en al door te trekken (poeppapier dat nu in een aparte emmer moet). Het huis zal heerlijk ruiken na het rechtsherstel.

Maar eerst de brieven en de bewijzen. *Mijne Heren, in*

vouwe dezes, gelieve u aan te treffen... Meneer Java heeft kopieën laten maken. Vlekkerige vellen zijn het geworden, lampenkapdik. De originelen geeft hij natuurlijk nooit uit handen. En zeker niet de allerbrooste documenten; daar mag de jongen zelfs niet naar kijken: de papieren van de Pepertuinen – oud familiebezit. De peperpapieren worden in aparte mappen bewaard en alleen na uitgebreid handen wassen mogen ze even in het licht. Niet te lang, want dan zal de galnoteninkt nog verder verbleken. Lichtbruin zijn deze bewijzen, voorzien van oranje zegels met een witte kroon in reliëf... en daaronder zwieren de handtekeningen van de heren, halfverteerd, aangevreten door roest, termieten en overstromingen, maar de handtekeningen zijn nog intact. En daar gaat het om! Meneer Java heeft hun namen op zijn borst door de rimboe gedragen, ze in een ijzeren kist diep onder de grond verstopt. En wat tonen die gehavende papieren aan? 'Diefstal! Het beheer van de heren! Alles opgegaan aan administratiekosten, tijdens mijn...' – meneer Java kan even geen adem krijgen – 'afwezigheid.' En ook daarna: opbrengst nihil. En heus niet omdat Batavia ineens Jakarta is gaan heten en de gulden plotseling roepia! Heeft de peper in al die jaren soms niet gebloeid? Of weigerden de koelies te plukken? En hoe staat het met de nootmuskaat, de tabak, de thee, worden er ook geen koffiebonen meer gedopt, zijn de rubberbomen uitgeput, en de pakketboten, de spoorwegen, de Bataafsche Petroleum Maatschappij, de Javaansche...? Meneer Java slaat het deksel dicht. 'Duurbetaalde vrede.' Maar volgend jaar... na het rechtsherstel. Volgende week, morgen misschien...

Meneer Java's schrijfhand schiet over het briefpapier. Dit keer zal hij die heren pakken... Regel na regel vloeit uit zijn pen, zonder aarzeling, doorhaling of vlek, met een kaarsrechte kantlijn (daarin toont de schrijver zijn karakter: rechtdoorzee). Hij lacht geheimzinnig. Zijn ogen bliksemen... 'Oei, die is raak, daar kunnen ze het mee doen...' Of: 'Nee, dat is te beledigend...' Een prop en weer een schoon vel. De ene sigaret wordt met de andere aangestoken, meneer Java praat rook. Hij drukt de heren met hun neus op de feiten: heeft de minister kort na de oorlog niet toegezegd... werd er in een radiotoespraak voor Herrijzend Nederland niet beloofd dat... en zou er niet een financiële regeling getroffen worden die... De moeilijkste woorden vliegen over het geknoopte tafelkleed. Moeder sust en blust met druppels broom en thee, bang als ze is dat de peperpapieren meneer Java te zeer zullen verhitten.

Na een asbak vol peuken en een prullenbak vol proppen verzwakt meneer Java's mijneherengevloek tot gefluister. Weet mijnheer de directeur nog hoe hij destijds aan boord gekomen is? Vuil en mager als alle anderen stond hij in de rij voor een plaatsje. Geen draad aan zijn lijf, maar het weinige vet dat hij had, zat achter zijn ellebogen... En wat een praatjes! Voor je het wist, stond hij vooraan. Ze kenden elkaar uit hun jongensjaren, van de renbaan; een ruiter van klasse was hij geweest, ook toen al gewiekst. Meneer Java had hem op de kade zijn tropenpak geleend – wit, met een stijve hoge kraag –, na lang pingelen bij een Chinees op de kop getikt. Geen Europeaan die kort na de oorlog zoiets bezat! Mijnheer de directeur wrong zich toen in alle bochten: als-ie dat pak eens lenen kon, alleen maar voor de overtocht, een vent in zijn positie... voor aan tafel bij de kapitein, voor zaken aan het biljart... hij zou hem er bij aankomst voor betalen.

Meneer Java gromt bij de herinnering. Zijn pen hangt werkeloos in zijn hand.

En wat kreeg mijnheer aan boord? Eigen hut. Bovendek. Afdalen deed hij nooit. Geen groet, geen woord. Ging met een vreemde dame van boord. In zijn pak!

'Er staan nog vele vorderingen open,' zegt meneer Java.

Hij schuift zijn stoel naar achteren en loopt naar het raam... een vreemde beweging kruipt in zijn benen, alsof hij weer scheep gaat, hij drukt zijn voorhoofd tegen de ruit, en beslaat zijn uitzicht met zijn eigen adem... hij veegt de ruit weer schoon – zo stil als zijn asem op het glas lag, zo hard piept het als hij hem verjaagt. 'Vollemaan,' fluistert hij.

Hij draait zich om en verlaat abrupt de kamer.

De jongen blijft beteuterd achter. Stil is het, heel stil. Alsof het hele huis op sokken loopt. Hij spitst zijn oren... hoort een kastdeur kraken, zolen krassen op de tegelvloer, een klerenhanger valt op de grond... Hij stelt zich voor wat meneer Java in de andere kamers doet: meneer Java perst een broek – sissss, sissss – met een scherpe sabelnaad, hij borstelt zijn mooiste pak op, kiest een dikke das uit, speldt alvast zijn medailles op. Meneer Java pakt zijn leren aktetas, de tas waarmee hij dikwijls zijn gelijk gaat halen. De brieventas. Meneer Java maakt zich klaar voor een reis naar de Hoge Heren. Misschien gaat hij morgen naar de minister...

Maar... de strijkplank wordt niet uitgeklapt, de theedoek sist niet onder de bout. Rubberoverschoenen piepen op de gang en daar staat meneer Java plotseling in de zitkamer, hoed op, twee oliejassen over zijn arm. Moeder dribbelt bezorgd achter hem aan. 'Kom, een beetje zeelucht zal ons goeddoen,' zegt hij. Moeder maakt wilde gebaren achter zijn rug... eruit, eruit, neem hem mee naar buiten, zeggen haar handen. Meneer Java hangt de kleinste jas over de smalste schouders en sluit in één ruk de rits.

'Mijn armen,' piept de jongen.

'Heb je niet nodig.' Meneer Java schiet in zijn jas en inspecteert zijn zakken.

Moeder zet snel een paar rubberlaarzen klaar en diept de

dikste sjaal op die ze vinden kan. De geur van mottenbal jeukt door de kamer. De jongen niest.

'Snuit je neus,' zegt meneer Java afwezig. Hij vindt een kompas in zijn zak en houdt het tegen zijn oor. Het noorden zit er nog in.

De jongen wappert met zijn lege mouwen, sloft met zijn hielen half in zijn laarzen en veegt zijn neus af aan de sjaal.

Ze nemen de snelste weg naar het strand, dwars door de duinen. De bunkers werpen ronde schaduwen op hun pad. Reuzenhelmen in het maanlicht. Meneer Java geeft zijn jongen een hand en samen bijten ze zich dwars door de duisternis heen.

Het strand is lichter, een gele baan naast een slapende zee – hier krijgt de maan de ruimte. Geen golf, geen kabbeling, een ingehouden oostenwind heeft de branding het zwijgen opgelegd. Ze lopen langs de schuimrand van de zee, de maan tegemoet, naar het zuiden – het vooroorlogse zuiden. Leeg lijkt de wereld en vredig. Een krabbetje schiet weg. Ze luisteren naar het spatten van hun stappen. Naast elkaar, zelfde been voor, voeten gelijk. Twee schaduwen volgen hen. 'Twee hoge heren,' fluistert meneer Java. Hij trapt ze weg. Eén schaduw trapt mee. Meneer Java zwaait, één schaduw zwaait. Meneer Java neemt zijn hoed af, twee hoeden groeten de maan. De schaduw van de jongen staat er stom naast. 'Beleefde heren,' zegt meneer Java, 'maar hou ze in de gaten, ze bedriegen je waar je bij staat.' Dan drukt hij de jongen stevig tegen zich aan... en samen kijken ze om naar de schaduw, die nu als één man achter hen staat. 'Zie je wel, zelfs je eigen schaduw kun je niet vertrouwen. Zo loopt hij met je op, zo laat hij je in de steek.' Meneer Java legt zijn hand in de nek van de jongen en samen buigen ze naar hun schaduw. 'Voor je het weet word je opgeslokt en ben je nog minder dan niks.' Een plotselinge wind steekt op, de zee raast over het gefluister... maar de woorden hameren zich bij de jongen naar binnen.

Ineens springt meneer Java van de jongen weg... hij en zijn schaduw spatten door het natte zand. Meneer Java verandert zichzelf in een mes. Hij snijdt zijn schaduw in stukken. Armen en benen vallen in het zand. Een wolk schiet voor de maan. Meneer Java heeft geen schaduw meer. Zijn hakken snijden in zijn eigen vlees. Meneer Java is zichzelf niet meer.

levensles

Een kale berk staat naast het paardenweitje, een taai en springerig ding, takken te dun om in te klimmen, maar als zwiepboom zeer geschikt. Om de top naar de grond te krijgen, moet de berk flink buigen. Wie durft?

De jongen springt in de boom, hijst zich omhoog, klemt de stam tussen zijn benen en schuurt knoest voor knoest naar de top. Hoe hoger, hoe dunner de stam. De berk trilt, spartelt tegen, helt over... en... geeft zich gewonnen. Zijn voeten raken weer grond. Hou vast die stam, drukken, pak hem bij zijn kruin, laat die katapult niet los. En nu een schoen, wie geeft zijn schoen? Een kring van ogen keurt de schoenen, schoffies uit de andere kant van het dorp... Hij! Ja hij, de berkenbedwinger zelf, moet zijn schoen afgeven. De jongens wijzen naar hem, naar zijn Noorse trekkers, niemand heeft er zulke mooie – stevig, op de groei gekocht... Wat heet gekocht, ze zijn geschonken, maar dat mag niemand weten. Ze lijken nog spiksplinternieuw. En duur! Duur! Zijn rechterschoen wordt losjes met de veter in de top gebonden. En nu naar achteren, jongens... druk de stam nog even naar beneden... En één, twee... los! Woep... Het hout slaat om de oren. Wat een zwieper. De schoen schiet door de lucht. De schoen zweeft... Hoog. Rakethoog. Zulk lachen. Waar is-ie? Zoeken. Nergens te bekennen. Niet in het gras, niet in de greppel.

En toen?

Op één sok en één schoen hinkend naar huis – alsof hij pijn had. Wijzend naar de schuldigen – alsof hij beroofd was.

'Waar moet dat heen?' vraagt meneer Java, die hem voor het raam staat op te wachten, 'dacht meneer het soms op één schoen in de wereld te redden?' Kil staan zijn ogen, koud klinkt zijn stem: 'En hoe loop je er na duizend kilometer bij? Met een kapotte voet op de bevroren modder? Je vel eraf, tot op het bot... Ze wachten heus niet op je onderweg, de groep trekt voort... jij kan niet meer en je zogenaamde kameraden worden stippen in een grijze vlakte. Het gaat nog erger vriezen, bijtende sneeuwstormen... Hoor je dat? Wolven, er trekken wolven door de steppe. Nee... het zijn huilende straaljagers... daar, achter de bomen.' Meneer Java wijst naar het plafond en de jongen kijkt op en hij ziet ze... zwarte jagers! 'Tikketikketik... een spoor van kogels schiet langs de berm, duik weg... man. Zoek dekking, ren door de sneeuw, spring over het prikkeldraad, duik achter een boom. Ha, ha... Je been wil niet rennen. Doof. Koudvuur. Ja, ga erbij zitten... Wil gedragen worden zeker, door mij, ik in mijn conditie! Hinder die je bent. Stumper. Waarom heb je twee schoenen gekregen, bergschoenen van de beste kwaliteit? Omdat je twee voeten hebt, twee voeten aan twee benen, eigen benen. Eigen benen om op te staan. Benen die geen ander nodig hebben. Voeten die reisvaardig moeten zijn. Zwakkeling.'

Twee ogen kruipen in de grond. De jongen zwijgt.

'Wie zijn schoenen liet stelen, ging dood,' zegt meneer Java na een ijzige stilte...

Angst siepelt door één sok.

'Tenzij je over voetkracht beschikte.' Meneer Java kijkt naar het zweetspoor van de jongen en grinnikt om zijn eigen woorden. 'Voetkracht!' Door zijn lach smelt de sneeuw in zijn stem. Hij slaat zich op de knieën van plezier.

De jongen begrijpt niet waarom.

de krant

Elke avond vallen de leugens op de mat. En elke keer vindt de jongen daar wel een vreemd woord om in zijn schrift te schrijven. Tot meneer Java de krant van de jongen afpakt en hem weer gladstrijkt, opschudt en er hardop uit voorleest, blazend, honend en tierend. 'Leugens, allemaal leugens', en toch moet iedereen ze elke avond horen... hoe er gezwetst wordt in verre wandelgangen en hoe seniele oude mannen nieuwe grenzen trekken en dat hij wel elke maand een nieuwe atlas kan kopen omdat de kaart per week verandert, kijk maar hoe Azië is verkwanseld en hou de Chinezen in de gaten, want die houden zich vuil stil... en de Russen zijn machtswellustelingen die de paarden uit de schuren zullen stelen...

'Hou op,' schreeuwt moeder.

En dan is het stil.

Stoelen verschuiven en meneer Java en moeder nemen hun posities in. Moeder pakt haar breiwerk en meneer Java verbergt zich achter een opengeslagen krant – het papier trilt in zijn hand – en iedereen thuis weet waarover ze zwijgen: de bom. De nieuwe allesvernietigende waterstofbom van de Amerikanen.

Maar niet lang.

Meneer Java is voor en moeder is tegen.

'Je hebt je leven eraan te danken,' zegt meneer Java. Hij kan het niet genoeg herhalen.

'Hiroshima en Nagasaki brachten vrede. Twee atoombommen was genoeg. Die h-bom is veel zwaarder.'

'Laat de Russen maar bibberen,' vindt meneer Java. Na een warme oorlog kan hij ook de koude aan.

'Er hoeft maar één gekke generaal te zijn,' zegt moeder. 'Ze spelen er nu al als kinderen mee, in Australië hebben ze hele eilanden laten verdwijnen en God weet wat ze in Siberië uitspoken... uitvindingen worden gebruikt en daar betalen we eens de rekening voor.' Sinds de communisten ook een atoombom kunnen maken, is ze bijna pacifist geworden: 'Een nog verschrikkelijker paddestoel zal de wereld verschroeien.'

Meneer Java: 'Wat wil je dat we doen? Ons op laten sluiten?'

'De fall-out zal je overal pakken.' Moeder weet precies wat een waterstofbom kan aanrichten, ze heeft in een blad een foto gezien: een h-bom op de Amsterdamse Dam en heel Noord-Holland wordt weggevaagd... 'ook ons dorp, dit huis, verschroeid, plat... in één lichtflits.'

'Als het zover komt, zal ik persoonlijk de kelder uitgraven.'

'En jij: verdampt.'

'We zullen zien wie de sterkste is.'

'De kakkerlakken.'

'Je kletst,' zegt meneer Java, hij weet er veel meer van dan zij. Elke dag gaat hij naar het hotel op de boulevard en leest daar voor de prijs van één kannetje koffie zoveel kranten als hij maar wil, binnenlandse en buitenlandse en *Life* en *Time*... Hij weet precies wat ze achter het IJzeren Gordijn uitspoken en hoe de Amerikanen erover denken. 'Er is prima leven mogelijk na de bom.'

'Als je maar genoeg pindakaas in huis hebt,' schampert moeder.

'Inderdaad, met vele potten pindakaas en ingeblikte sperziebonen en rietsuiker en plumpudding en lampolie... en als je daarover door blijft zeuren, koop ik morgen weer een gros.' Meneer Java durft dat allemaal te zeggen zolang hij zich achter de krant verstopt.

Moeder gooit een knot wol naar zijn hoofd.

'Misschien moeten we ergens anders een nieuw bestaan opbouwen. Een beter bestaan, veiliger. Een waterstofbom schroeit de aarde juist schoon... brandschoon.' Hij laat de knot van zijn knieën rollen en gaat op zoek naar een schaar.

Meneer Java knipt in de krant. De leugens gaan in de leugen-envelop. Voor de jongen knipt hij foto's van straaljagers uit. Boft hij even... er zit een piloot in een stoere jekker bij, trots naast zijn kleine P-38, hetzelfde toestel waarmee de yankees de Japanners uit de lucht schoten. Door de achterkant van de foto met zijn Koh-i-noor te bekrassen drukt de jongen het spiegelbeeld van de piloot in zijn schrift. Grijs op wit, zachter dan in de krant. Hij heeft wel vaker woorden en plaatjes uit bladen en kranten gespiegeld, maar deze afdruk is bijzonder helder: de kraag van de piloot pluist levensecht en de lippen zijn sprekende lippen... De spiegelpiloot lacht hem toe... als hij lang naar hem kijkt, beweegt hij ook... Even leek het of hij zijn duim opstak.

Elke avond kijven meneer Java en moeder over de bom. De A-bom en de H-bom. De wereld is in tweeën gedeeld, de zitkamer ook. En de jongen weet niet bij wie hij moet schuilen.

veranderingen

Nieuwe broek, nieuwe trui, nieuwe schoenen, nieuwe jekker. Meneer Java heeft zich overgegeven: volgende week moet de jongen alsnog naar school. Een trimester te laat. De kleren liggen op de hutkoffer. Nieuwe kleren voor een pupil die al kan lezen en schrijven. Om de haverklap loopt de jongen ernaar toe. De jekker vindt hij het mooist, van dik bruin katoen met zwarte wollen boorden en een pluizende opstaande kraag. Hij heeft er dagen om gezeurd. Moeder heeft hem gemaakt; als hij hem aandoet, lijkt hij sprekend op de Amerikaanse spiegelpiloot uit zijn schrift.

De school ligt zeven kilometer verderop, hij zal voortaan moeten overblijven – net als de meisjes op de middelbare school. Hij neemt nu al afscheid van de geheimen in het huis, inspecteert vertrouwde routes, alsof de plekken die hij in het voorbijgaan aanraakt en waar hij soms een wens doet of zijn ogen sluit, hun kracht zullen verliezen. De fietskrassen in het pleisterwerk van de gang, de losse plint, de boekenkast waar hij elke dag wel wat recht te zetten heeft. Moeder zal zijn geheime codes en signalen niet herkennen, ze zal zijn kamer opruimen. En de letters die hij met zijn nagel in de bloempotten van de geraniums kraste zal ze straks met een natte doek wegvegen.

Ook meneer Java is somber. De inspecteur van het lager onderwijs heeft hem geschreven (gesommeerd, zegt moeder) dat de jongen onmiddellijk naar school moet en dat er zonder toestemming van het hoofd geen klas wordt overgeslagen. 'Wat een land,' raast meneer Java. 'Wat een bemoeials. En daar hebben we zo hard voor gewerkt!'

'Wij zijn nog niet klaar,' heeft hij teruggeschreven, maar de inspecteur was niet te vermurwen. Vanwege de wet zus en de wet zo, iedereen dient zich aan dezelfde regels te houden.

'Zo kweek je kuddedieren.' Wisten ze nog niet wat daarvan kwam?

Meneer Java mist zijn zoon nu al, terwijl hij nog gewoon naast hem zit: onder het schrijven slaat hij zijn arm om zijn pupil – zomaar –, hij aait zijn kruinen plat en als hij hem bijna keelt en de jongen naar adem hapt, ketst hij met zijn vlakke hand tegen het speciaal voor de eerste schooldag opgeschoren achterhoofd. 'Sorry,' zegt hij. Ook de jongen zal hem straks missen. Wie zal er op school zijn punten slijpen?

Na de les gaat meneer Java als een A voor het raam staan (wijdbeens met zijn handen over elkaar) om onhoorbaar in zichzelf te praten... tot hij er schuimpuntjes in de mondhoeken van krijgt en moeder hem de kamer uit stuurt.

Voor het avondeten, als hij weer tot rust gekomen is, zegt hij plechtig: 'Ik heb er nog eens over nagedacht, als ik het paardenschema verander, kunnen we elke dag na school nog een uur samen lezen en schrijven.'

Dit als tegenwicht en steun en troost.

Daags voor school loopt de jongen op van de zenuwen de kamer in en uit om zijn schoolkleren te inspecteren. Moeder heeft er nog een paar passende sokken bij gelegd en meneer Java een ongeslepen Koh-i-noor. Alles nieuw. In deze kleren kan hij een ander worden. Met zo'n uitrusting durft hij ten strijde te gaan. Als hij de jekker zachtjes aait, recht zijn rug zich vanzelf en ziet hij zich zonder vrees het schoolplein oversteken.

'Waarom doe je hem niet meteen aan?' vraagt moeder.

'Het regent,' zegt hij, maar hij denkt: Nog niet, anders gaat de kracht eruit.

Ze kijkt uit het raam. 'Een paar spatjes, daar heb ik hem juist op gemaakt.'

'Ik draag liever mijn oude jas.'
'Je bent een ondankbaar kind.'

De spiegelpiloot zegt: 'Ze voelt het nieuwe niet, het hele, voor haar is een jekker een jekker, een huls tegen weer en wind. Ze begrijpt niet dat kleren je kunnen omtoveren tot een nieuwe jongen.'

de blindganger

Er ligt een Brit onder de boulevard. Midden in het dorp, tegenover het zeeaquarium. Stratenmakers die met pikhouwelen een deel van de boulevard openbraken hadden een scherp geluid gehoord. IJzer op ijzer. Het ging door merg en been. Ze dachten eerst dat het een Spaanse ruiter was, een restant van de Atlantikwall of een neergeschoten tommy, maar het bleek een bom te zijn, een Britse uit de Tweede Wereldoorlog, ze hebben hem helemaal blootgelegd, zes voet lang – van neus tot staart, op een paar krassen na nog helemaal intact. Zes voet. Het hele dorp praat erover. Zes voet! Mannen, vrouwen en kinderen geven elkaar de maat met verbazing door. Zes voet. Meneer Java stapt ze uit op het bruine zeil, zes keer zijn schoen en nog een flinke stap erbij. Een bom zo groot als een man. En gevaarlijk! Schijndood is het ding, maar binnenin springlevend. Opgraven en elders onschadelijk maken is te riskant. Hij moet ter plaatse worden gedetoneerd. De-to-ne-ren... Eersteklaswoord! Meneer Java spelt het, schrijft het in het taalschrift, zijn ogen vonken erbij op. Er zit geluid in dat woord... een hoge fluitende toon. Meneer Java fluit. Als een bosduif klinkt het, een hele dikke. Waarom is die bom niet ontploft? 'Het was een blindganger, verzwolgen in het zand.'

Meneer Java heeft er verstand van: sinds de jongen naar school gaat, zit hij álle ochtenden aan de leestafel van het hotel, geen oorlogsbericht ontsnapt hem daar, uit binnen- of buitenland, hij maakt zelfs zijn handen vuil aan Duitse kranten. Hij weet waar de klappen vallen. Bovendien was hij al een bommenspecialist. De mensen spreken hem erover aan, op straat, op het strand, hij tekent vliegtuigen met de punt van zijn wandelstok – speciaal meegenomen voor de gelegenheid, de wandelstok is zijn buitenpen. 'Kijk,' zegt hij dan, 'dat is de hoogte en dit is de buik van het vliegtuig, daar het doel, en onder deze hoek...' Hondenuitlaters, politieagenten, de kruidenier, mensen die uit andere dorpen zijn komen aanfietsen... ze kringen allemaal om hem heen, volgen de punt van zijn wandelstok, in het zand, op steen of hoog tegen de lucht... ja, ze horen hem... de blinde bom die iedereen voor ogen staat.

En wat moet er nu gebeuren? Afstand en beheersing, adviseert meneer Java ongevraagd. Eerste maatregel: de jongen hoeft niet naar school, het fietspad ligt te dicht bij de bom. De meisjes slaan zijn raad in de wind en gaan hun eigen gang. Maar de burgemeester geeft meneer Java gelijk, want er rijdt een auto met megafoon door de straten die de bewoners met krakende stem waarschuwt: *'Vermijdt de boulevard. Blijft weg bij de ramen!'* Ook is er een Engelse legerkapitein overgevlogen – een specialist in vliegtuigbommen, hij heeft honderden succesvolle ontploffingen op zijn naam staan. Hij zal de bom detoneren. Bob de Boer heeft tweehonderd balen stro om het gat moeten leggen, voor je weet maar nooit... want als-ie klapt, gaat het aquarium eraan. De haai zal naar buiten slingeren. Zeepaardjes in galop erachteraan. Stel je voor. Zeeanemonen als vla op de vensterbank. Je mag er niet aan denken, zegt meneer Java.

De jongen denkt aan niets anders. Hoort hij meneer Java

fluiten – er is altijd wel een nieuwkomer die het verhaal nog niet eerder heeft gehoord – en kijkt hij mee omhoog, dan ziet hij zeesterren suizen... knetterende sidderalen, roggen, naar lucht happende zwaardvissen... een vliegende bommenzee. Na het stro is er ook nog eens vier ton zand voor de ingang van het aquarium gekieperd, en dat allemaal om de kracht van de explosie te temperen. Zelfs het Vredeskerkje is opengesteld – de dominee geeft raad. Ja, de oorlog tikt onder het zand.

Moeder is het kerkje binnengegaan. Het hele dorp zit daar op een kluitje. Maar meneer Java bleef demonstratief buiten voor de deur staan wachten. Hij is hoegenaamd niet bang. Beheersing! Toch heeft hij thuis een tas klaargezet, met schoon ondergoed, broomdruppels, het fotoalbum en zijn gouden manchetknopen (voor de omkoperij). En hij heeft in zijn geheime kisten zitten wroeten, er moet een stapel paperassen mee. 'De peperpapieren ja.' Die van de belasting gooit hij slordig in een hoek, de zorgen hoeven niet mee. 'Negeren is vooruitzien,' grinnikt hij. Ze pakken samen, als vader en zoon – zo voelt het, de jongen hoort er deze spannende uren helemaal bij, ook zijn spullen mogen mee in de tas: lege schriften, drie splinternieuwe Koh-i-noors. De tas gaat zolang onder het bed en het wachten is op nieuwe instructies. Hoe vaak heeft meneer Java het pad al niet uitgestippeld... Naar een veiliger kust, waar geen tanks kunnen komen, buiten het bereik van bommen en raketten. Afstand!

De *kepten* – zo noemt het dorp de Britse bommenkapitein – logeert in het hotel, niet in één kamer, een hele verdieping is voor hem afgezet, alsof hij zelf ook exploderen kan. Buiten wachten mensen voor de deur, wildvreemde lui met fototoestellen aan riempjes op hun buik, ze wijzen naar de ramen waar ze een schim van hun held menen te zien. De kepten ijsbeert. De kepten buigt zich over oude werktekeningen. De kepten verzint een plan. De kepten gaat aan tafel. De kepten eet. Nee, hij eet niet: een kepten ontbijt, luncht, dineert, soupeert. De burgemeester is bij hem op bezoek geweest, met een fles van de beste rode wijn.

Sinds de komst van de kepten oefent meneer Java zijn Engels. *How do you do, captain?* En in de spiegel keurt hij zijn Engelse tweed, zijn Engelse hoed, Engelse das, Engelse schoenen. *Yes. I would like to speak the captain.* Meneer Java heeft heel wat bommen neer zien vallen. Viervoeters, vijfvoeters... pats voor zijn ogen. Flinke jongens, *big boys.* De stoeterij werd opgeblazen, zijn schip getorpedeerd... en nu zingt hij over de bom. Zo'n goed humeur had hij in maanden niet. *Bomb. Bomb.* Een b voor, een b achter, een voorplof en een achterplof. Wat een woord! *Bombbomb-bomb...* Meneer Java leert zijn zoon Engels: *Tallyho, big bomb show...* De *bomb* spettert op hun lippen.

'Hij zit heus niet op je te wachten,' zegt moeder.

'Ik wil hem bedanken.'

'Je stoort hem.'

Meneer Java heeft ook een fles voor de kepten gekocht, duurder dan de wijn van de burgemeester, rode port. Een officier drinkt port, met de linkerhand, om admiraal Nelson te eren die in de slag bij Trafalgar zijn rechterarm verloor. Afgeblazen door een kanonskogel. Een gevaarlijk cadeau, volgens moeder: 'Die man moet zijn hoofd koel houden, hij heeft twéé rechterhanden nodig.' Meneer Java wrijft het stof van het etiket: 'Deze port zal hoogstens zijn hart raken.' 'En de bodem van mijn huishoudportemonnee,' merkt moeder droogjes op. Ze ruziën over wie hun echte *liberators* waren... hun bevrijders... de geallieerden, en horen daar wel of niet de Russen bij? Oorlogstaal ketst door de kamer, vreemde, nieuwe woorden worden uitgespeld en opgeschreven. Er wordt dezer dagen veel geleerd!

De fles moet vóór de de-to-na-tie worden afgegeven. Zo spoedig mogelijk dus! Want het gerucht gaat dat het elk ogenblik kan gebeuren... De jongen mag mee. (Als er één gelegenheid is waarop hij zijn pilotenjekker behoort te dragen is het deze wel: de kepten is ook piloot geweest. Stoer met opgeslagen kraag... vier keer gaat de jekker aan en uit, kraag omhoog, kraag plat; hij durft het niet, hij aait de stof, wordt daar weer rustig van en durft het dan, maar als hij de gang op loopt, wordt hij telkens vreemd bang. 'Doe maar,' fluistert de spiegelpiloot ten slotte in zijn oor – zijn stem zit in die kraag – en daar gaat hij, met kloppend hart.)

Meneer Java wacht hem ongeduldig op, maar hij is te bezig met de fles port om oog voor zijn jongen te hebben... wel of niet in een tas, feestpapier, of bloot in de hand, links, rechts? Uiteindelijk wiegt hij hem in de linkerarm, opgerold in een dikke krant – het is een kostbaar kind, die fles –, de jongen krijgt zolang de wandelstok. Een stok die onderweg stoer langs hekken ratelt, in strobalen prikt, tot meneer Java hem afpakt en er een tik mee uitdeelt. 'En doe die kraag gewoon.' Beheersing, daar komt het nu ze de kepten naderen op aan! Dus: niet niezen, niet krabben, rug recht en voeten optillen.

Er staat een haag nieuwsgierigen voor het hotel – ook zij hebben het gerucht vernomen. Meneer Java, de stok, de fles en de jongen dringen zich zonder ongelukken naar voren, maar de twee agenten voor de deur versperren wijdbeens de toegang. Hebben ze een afspraak? *Yes*. Kennen ze de kepten persoonlijk? *Yes*. De agenten buigen bijna.

Meneer Java fluit zachtjes als hij de draaideur binnenstapt. Dit is zíjn hotel, hier leest hij dagelijks de ochtendbladen en de buitenlandse kranten en drinkt hij zijn koffie uit een zilveren kannetje – met drie koekjes gratis erbij. Zijn jas waait op en ook zijn kin gaat iets omhoog, zijn hele gezicht krijgt een air dat de jongen nooit eerder bij hem zag... zo zeker klinkt zijn stap op het kale marmer, hij glijdt niet uit zoals de jongen, die nooit eerder binnen was; hotels zijn voor badgasten en dit alleen voor heel rijke. Meneer Java groet het personeel – een man in een roze gestreept jasje die een asbak leegt en een mevrouw in een wit schort, met roodgelakte nagels waarmee ze raar naar hem wappert – hij geeft zijn jas af, hoed en stok, en een mevrouw met enorme bustes pakt ze aan alsof ze meneer Java dagelijks uitkleedt... nee, de jongen kijkt wel uit, hij houdt zijn jekker aan. Meneer Java smoest met de bustes en als de jongen aan zijn mouw trekt, wijst hij hem snel op de vijf koperen klokken recht boven de balie, die stuk voor stuk een andere tijd aangeven. Zo gaat dat in de grote wereld, ieder continent zijn eigen tijd. En meneer Java kent die wereld.

Maar het gezicht onder die klokken reageert niet op zijn joviale groet. Een man in een jas met goud geborduurde sleutels op zijn kraag kijkt hen streng aan. Meneer Java geeft zijn visitekaartje af (de punt omgevouwen), de jongen spelt een woord dat uitgesneden op de balie staat: conciërge... hij verstrikt zich in de puntjes boven de e. 'De kepten kan niet ontvangen,' zegt de conciërge. Meneer Java klapt zijn Engelse schoenen tegen elkaar, kucht ingehouden, haalt de port uit de krant... het maakt geen indruk.

'De kepten drinkt thee,' zegt de conciërge. Nog even geduld en de kepten komt naar buiten en dan kan iedereen hem zien. 'Om vier uur is het zover.' Hij maakt een plofgebaar.

Meneer Java wijst op het etiket, het is een port uit het bevrijdingsjaar. De conciërge laat zich niet vermurwen, zijn hoofd duikt in het gastenboek. Meneer Java zet de fles op het marmeren blad van de balie, schuift hem naar het lamplicht, onder de neus van de conciërge. Geen kik. Als hij de fles onbemand achterlaat en zijn jas ophaalt, krimpt hij zichtbaar in zijn Engelse kleren... Tweed tweed, raspt zijn jasje onder zijn oksels in de draaideur. Meneer Java fluit niet meer, hij loopt leeg.

Maar buiten, voor de wachtende menigte, pompt hij zich weer op: 'De kepten bereidt zich voor, het wordt iets later: vier uur lokale tijd.' Meneer Java tikt op het glas van zijn horloge, zwaait met zijn wandelstok. 'Informatie uit de eerste hand,' zegt hij amicaal tegen de agenten. De conciërge grijnst achter de ramen. 'Vier uur, vier uur... lokale tijd,' fluistert het door de rijen. 'Waar is dat?' vraagt een hoge stem tussen al die hoeden en regenjassen.

Even later bevestigt de auto met de megafoon het hardop door de straten. *Loopt geen gevaar, vermijdt de boulevard.* Er zal een wake in het Vredeskerkje worden gehouden. De vrouw van de dominee schenkt chocola. En wie per se iets wil zien, moet het hoge duin op klimmen; alleen daar, veilig achter een buffer zand, kun je... ja wat: zand zien ploffen en de schim van een schouder zien, misschien. 'Niets voor ons,' zegt meneer Java, 'allemaal ongezonde nieuwsgierigheid.'

De weg terug naar huis draait zijn zoon zich wel vijf keer om... Het hoge duin wenkt, het hoge duin lokt... Meneer Java slaat een opgewaaid strootje van zijn tweed. 'Als het misgaat horen we het wel op de radio.' Bovendien, duinzand gaat in zijn kleren zitten.

Thuis maakt moeder andere plannen. De meisjes zijn eerder uit school en willen naar de wake. 'Iedereen gaat,' zegt moeder, 'gezellig.'

'Wij dus niet,' zegt meneer Java, 'alleen dode vissen volgen de stroom.'

Moeder en de meisjes trekken zich terug in de slaapkamer.

'In je pyjama,' beveelt hij zijn zoon.

Wat? Zo idioot vroeg? Het is nog middag! En als het detoneren nu mislukt en ze het huis moeten verlaten? Vluchten in pyjama?

Meneer Java duldt geen tegenspraak. Hij gaat vast boterhammen smeren, want geen hoofd staat naar koken deze dag. Een heel brood versnijdt hij en tussen het smeren door loopt hij van keuken naar kamer, kijkt naar buiten, schuift de radio verder weg van het raam.

Moeder en de meisjes giechelen achter een gesloten deur en als ze te voorschijn komen, hebben ze zich niet voor het bed verkleed, maar voor de kerk: hoge wollen kousen, vesten, dikke sokken. Ze poetsen hun tanden in de badkamer. Stiften hun lippen en zingen driestemmig: *'Daar ruist langs de wolken een lieflijke naam...'* Meneer Java bijt op zijn onderlip.

Het gegiechel stapt naar buiten. Hakken voegen zich bij hakken, gedempte stemmen lopen voorbij, fietsbellen halen fietsbellen in, een solex, een auto toetert in de verte... ze gaan allemaal.

Meneer Java zoekt een zender op de radio, ijsbeert door het huis, staat voor het raam, speelt met het zakmes in zijn broekzak. De jongen zit met natte haren en in pyjama aan tafel en bladert door zijn schrift. De spiegelpiloot geeft geen raad.

Meneer Java doet zijn schoenen uit, trekt pantoffels aan, loopt een rondje, graait in de ladekast... andere schoenen, de klimschoenen! Broek uit. Weer in de plooi geschud en opgehangen – zand valt op het zeil. Andere broek aan, eentje zonder omslag. Klimschoenen aan. De klok tikt.

De verrekijker wordt uit zijn foedraal gehaald. Meneer Java poetst de glazen op en inspecteert de lucht, hij draait en zoekt... en tast de ramen af. De kijker drukt twee ringen om zijn ogen, net als de moeten in het fluweel van het foedraal. De jongen volgt de onrustige kijker... buiten het zicht van de verlengde ogen sluipt hij naar zijn kamer, trekt een broek en trui over zijn pyjama aan, sokken, schoenen. En de pilotenjekker, kraag op – in één keer. Als hij aangekleed de zitkamer weer binnenkomt, wringt meneer Java zich voor het raam in bochten: hij probeert om een hoek te kijken.

Maar de verrekijker laat zich niet dwingen, een kijker wil zo veel mogelijk zien, eropuit, en hoe verder hoe beter. De kijker trekt meneer Java aan zijn riem mee naar buiten en sleurt ook de jongen in zijn jekker mee. De kijker wil naar de boulevard, maar dan dwars door het helm en achterlangs, het klimduin op, hij baant zich een pad tussen ellebogen, brede ruggen en boerenpetten... tot hij stevig staat en vrij zicht heeft op de kring strobalen... Twee lenzen worden één, dalen af in het uitgegraven gat... stuiten op de bom, een naakte, blootgelegde bom... stil en bewegingloos, als een patiënt op de operatietafel.

De bom ligt op apegapen. Er gebeurt niets. De kijker zoekt de kepten, zwaait naar het hotel en weer terug. Hij zoekt het Vredeskerkje... een vaag gebrandschilderd licht tussen de dennen. De zon is al achter het hoge duin verdwenen, de lucht kleurt wintergrijs.

Meneer Java heeft moeite de kijker bij te houden, zijn ogen jagen gulzig over het steeds donkerder wordende dorp... daken tollen, straten krioelen... hij duizelt, zoekt houvast bij de jongen... tot de kijker hem weer recht op zijn benen zet. Daar loopt een man, twee benen in uniform. Beet! Hou hem vast. De zekere pas van de kepten... regelrecht naar de strobalen. Hij draagt een koffertje, het de-to-na-tie-koffertje... een agent loopt achter hem aan. Zien ze het goed? De agent draagt ook iets. Iets kleins. Wat is het, wat is het? De mensen stoten elkaar aan. Meneer Java moet zeggen wat hij ziet.

Hij ziet een fles. Hij ziet een emmer.

De kepten gaat op een strobaal zitten, stroopt zijn mouwen op. Meneer Java knijpt zijn ogen samen, stelt de kijker scherper, draait en vloekt, gaat op zijn tenen staan, spant zijn ogen. Ja, de andere mensen op het duin zien het nu ook. De agent heeft een fles wijn in zijn hand... hij giet de wijn in de emmer... of is het port.

'Zonde!'

'De kepten wast zijn handen in de emmer.'

'Wat duurt dat lang.'

'De kepten denkt na.'

'Nee, hij wast zijn handen niet, hij weekt ze!'

'In wijn?'

'Hij maakt zijn vingers soepel.'

De omstanders gissen en raden. Meneer Java's ogen vreten zich door de lenzen heen. Is het wijn, is het port?

Er komen meer agenten aangelopen. Ze verslepen de strobalen, een eind weg van de bom, ze bouwen een hut en maken zich uit de voeten. De kepten staat op, daalt met zijn koffer af naar de bom, hij bukt, hij prutst...

Het duin houdt zijn adem in.

De kepten wappert met zijn handen. Reddende handen.

Na het grote gebaar springt hij uit de kuil en trekt zich terug in de hut van strobalen.

De kepten telt zijn seconden.

Meneer Java telt hardop. Het hele duin telt mee.

Ver weg klinkt gezang... psalmen uit het Vredeskerkje... maar het luidst nog is de stilte: ze kraakt in het wieltje tussen de lenzen van de kijker, smakt in droge monden, borrelt in opgewonden buiken, roetsjt langs broeken, laarzen, hoge kragen, onder warme oksels. De stilte knarst in alle oren... zo lang, zo zenuwachtig lang, dat niemand de knal hoort.

Het was ook geen knal, het was een trilling.

Een zandfontein.

Zand spuit over de boulevard, over de strobalen, tegen de ramen van de winkels. Zand dat het zicht beneemt, het geluid smoort. Niemand die iets heeft gezien. Ook de verrekijker niet. Het duin staat in een wolk van zand.

Meneer Java blaast de lenzen schoon. De lucht klaart op. Het geluid keert terug. De kepten kruipt onder het stro vandaan. Hij slaat het zand van zich af.

De kerkdeur zwaait open, vrouwen en kinderen rennen naar de boulevard, mannen en jongens rennen het duin af. Iedereen wil de krater van dichtbij zien. Fototoestellen komen te voorschijn. De kepten slaat zijn arm om wie maar met hem op de foto wil. Het flitslicht weerkaatst tegen zijn tanden. Hij zegt: *'Cheese.'* Het dorp kan opgelucht ademhalen. *'Tallyho, good show,'* fluistert de spiegelpiloot in de kraag van de jongen.

Meneer Java harkt met zijn wandelstok in het stro om de krater, hij zoekt naar bomscherven. Ze zijn te warm om aan te pakken, hij wipt ze op met de punt van zijn stok, ze vallen dampend in het koude zand. Zaklantaarns schijnen bij, jongens pakken ze met hun zakdoek op, blazen ertegen. Plotseling wil iedereen een scherf mee naar huis. Mannen, vrouwen en kinderen kruipen door het zand. Meneer Java aarzelt, gromt, bukt... hij laat een scherf in zijn tweedzak glijden.

De volgende dag worden alle souvenirjagers met bebloede handen wakker. De scherven blijken een langzaam werkend zuur te bevatten. De auto met de megafoon rijdt weer door de straten. Geen paniek: er komt een huidarts naar hun wonden kijken.

'De oorlog zal nog lang in hun handen jeuken,' zegt de kepten tegen een verslaggever van het avondblad.

Meneer Java krabt de hele week.

materialisatie

Meneer Java staat midden op het pad voor het huis. Kwart over vier in de middag, de scholen zijn uit, de jongen en de meisjes komen als één blok tegen de wind in aangefietst. Meneer Java is nog in pyjama, zijn jasje halfopen gewapperd, ongeschoren, haar in de war, hij rilt van de kou. De meisjes schrikken als ze hem zo zien staan en nemen hem met fiets en al meteen bij de arm en duwen hem naar binnen... Hij stinkt, de nacht hangt nog in zijn pyjama, zijn rechterhand bloedt... Wat is er gebeurd? En waar is moeder in 's hemelsnaam?

'Ik moest me even luchten,' zegt meneer Java.

Moeder zit in de kamer aan de eettafel, naast de thee en de koekjes, verzonken in een boek ... 'O jee, stond hij echt buiten op straat?'

'Waarom is hij nog niet aangekleed?' vraagt eerstezus.

'Hij wou uitslapen van zijn nachtmerrie,' zegt moeder.

'Al klaar,' zegt meneer Java, die naar de badkamer wil ontsnappen.

'Vertel ons eerst wat je gedroomd hebt,' zegt moeder, 'dat lucht op.' Ze schuift hem een kop thee toe.

'Het ging over Aap.'

'Niet weer!' roepen de meisjes driestemmig.

Meneer Java bibbert, hij kan zijn theekopje niet goed vasthouden... (Niet gooien, niet gooien, smeekt de jongen stil, kopje kan er niks aan doen.) Na twee lekkende slokken bijt hij in zijn rechterhand; de hand wordt kalmer. 'Ik had het zo idioot warm... ik was een hele diepe kuil aan het graven, naakt.'

'Bah!' Derdezus steekt haar tong uit.

'Ga door,' beveelt moeder. Zijn dromen moeten eruit – doktersadvies. Kwaaie stoffen zijn het, net als een plas of een hoop.

'Ja,' zegt meneer Java geërgerd, 'laat me graven...'

Er druppelt bloed op de grond. De meisjes gruwen. 'Mammie, waarom heb je daar niks aan gedaan?'

'Ik kan hem niet de hele dag in de gaten houden, hij verstopt zich voor me.' Ze loopt de kamer uit om jodium te halen.

'Dit is... kijk toch... hij zit onder!' De meisjes komen woorden te kort.

'Mijn moeder stond naast me,' zegt meneer Java met een van pijn vertrokken gezicht als de wond wordt ingedruppeld, 'in onze oude tuin.'

'Dat is toch prettig,' kalmeert eerstezus.

'Helemaal niet... Aap zat boven in de boom. En ik bloot naast mijn moeder... het was vreselijk.'

Moeder en de meisjes kijken hem meewarig aan. De jongen bladert in gedachten door het fotoalbum, probeert zich de tuin voor de geest te halen, en Aap, en een oma die daar gebleven is... aan bloot durft hij niet te denken.

Meneer Java probeert zijn droom verder te vertellen, graaft en graaft, en niemand die er een touw aan kan vastknopen: '"Aap is een dief," zei mijn moeder, "hij zal de hele tuin omspitten."' Meneer Java laat zijn handen zien, de randjes van zijn nagels zijn vuil... van het graven. Hoe is het mogelijk en gisteravond heeft hij voor het slapen nog een bad genomen! En die wond aan zijn hand, hoe komt hij daar dan aan?

'Een blaar van de schop...' zegt meneer Java. 'Kopkracht.' De jongen verslikt zich in zijn thee. 'Ik heb de blaar gematerialiseerd... Als je sterk aan iets denkt, wordt het echt.' Meneer Java bestudeert zijn nagels.

Er valt een lange stilte. De jongen kijkt moeder en de meisjes vanuit een ooghoek aan, hij ziet ze denken, geconcentreerd en gretig denken... aan een eigen pick-up, een nieuwe fiets, aan een behanger die de eethoek komt opknappen...

'Slik je die nieuwe pillen wel?' vraagt moeder na een tijdje.

'Daar komt het juist van,' zegt meneer Java.

'Ze moeten je rustig maken.'

'Heel rustig ja... ik slaap de hele dag.'

De jongen denkt aan zijn kwijt gemaakte schoen... sterker dan sterk, hij voelt hem... bijna... Maar het wonder van de materialisatie blijft uit.

achter het gordijn 2

'Het hele dorp weet het nu,' zegt middelzus.

'Pas op, hij spookt overal rond,' fluistert eerstezus.

'Ze lachen hem uit.'

'Arme zotte Paardman.'

'Ze zijn bang voor hem.'

'Hij heeft zijn tas al gepakt.'

'Mammie houdt er rekening mee.'

'En dat joch... dat is toch niet goed, hij gelooft die onzin allemaal.'

'Mammie zal het op school met de juf bespreken.'

Watersnood

Zondagmorgen, afstofmorgen. De jongen zit onder tafel en geeft de bolpoten een beurt. Meneer Java staat voor het raam en luistert naar de radio. Ssst. De radionieuwsdienst met een extra bulletin! Een nachtelijke springvloed heeft het land geteisterd... De dijken zijn doorgebroken. Grote delen van Zeeland, Zuid-Holland en West-Brabant staan onder water. Reporters melden chaos en paniek, het vee drijft in de wei en de boeren willen niet weg... Het wachten is op de mariniers, het leger... Er is een kind geboren op een vlot... Lieslaars en oliepak kraken door de radio.

Een natuurramp, en meneer Java heeft er niets van gemerkt. En dat terwijl hij vroeger hoogwaterdagen van tevoren luidkeels aankondigde! (Ingefluisterd door de reddingspaarden.) Die verdomde pillen ook... Moeder schijnt er 's nachts nog uit te zijn gegaan om een klepperend luik vast te zetten en het duinzand is tot achter in de gang gewaaid. Maar de paarden, waarom hebben die niets...

'Heel Duiveland is verdwenen,' schreeuwt een radiostem vanuit een helikopter. Er zijn tientallen mensen verdronken. In Willemstad, bij Fort Sabina, brak de dijk door; de fortwachter is verdronken. 'Roep je moeder,' zegt meneer Java tussen twee zinnen van de reporter door, hij heeft de atlas uit de kast gegraaid en een stoel voor de radio gezet, 'de helft van haar familie staat onder water.'

De boeren zitten op hun daken. Paarden drijven boven verdronken straten.

Moeder komt met ongekamde haren de kamer binnenrennen en samen wijzen ze de ondergelopen delen op de atlas aan. De meisjes zijn al buiten gaan kijken, het zand ligt wel een halve meter hoog tegen de achterdeur. Ze joelen en springen naast de radio: er is een gat in de duinen geslagen, het water staat tot aan het klimduin. 'We hadden kunnen verdrinken.'

En geen hond heeft geblaft, geen paard gehinnikt...

Meneer Java luistert niet meer, hij staat al met een jas over zijn pyjama op de gang: 'Ik moet even naar de paarden.'

'Je zou van de schrik bijna weer gelovig worden,' zegt moeder. Ze gaat voor de radio zitten en zoekt naar nog meer nieuws, maar de andere zender zingt nietsvermoedend in de kerk. 'Verdomme,' zegt ze, 'ik ga ze bellen.' En dan schiet ook zij ongewassen in een jas.

De jongen blijft met de meisjes aan tafel achter, ze smeren extra boter op hun zondagse beschuiten en kijken naar de grijze spatten op het voorraam – zout, de zee heeft in het glas gebeten. In de dennen aan de overkant hangt de storm nog in de kruinen – een stuk zeildoek, ontvelde takken... en wat is dat oranje ding?

'Een zuidwester,' zegt eerstezus met een kennersblik.

'Hoe is die daar nu terechtgekomen?' vraagt middelzus.

'Van een reddingsboot.'

'En onze Paardman heeft overal doorheen geslapen.' Ze gniffelen.

'Hoeveel mensen zijn er verdronken?' vraagt derdezus.

'Honderden...'

'En wel duizend koeien en paarden en varkens.'

'Morgen spoelen hun kadavers hier aan.'

De jongen niest op zijn beschuit.

Meneer Java en moeder komen samen binnen. Ze kijken opgelucht, al zien hun jassen wit van het zand. Grootvader heeft het droog gehouden en de paarden staan veilig op stal. 'Tot boven aan hun hoeven in het zand,' zegt meneer Java, 'dat wordt vegen.'

Moeder heeft bij de melkboer mogen bellen. De pachter staat onder water en ritsen ooms en tantes, maar niemand is verdronken. 'Opa heeft tante Marie van achter de kerk in huis genomen en oom Huibert met de bok komt ook.' Haar stem klinkt hoger... haar e zingt – ze begint opeens West-Brabants te praten.

'Ik had het kunnen weten ja,' zegt meneer Java, 'de paarden reageerden al dagen ónrustig... ze wisten natuurlijk meer ja.' En hij oliet van de weeromstuit zijn Indische pinda-accent met een paar extra ja's.

'Het komt allemaal door de waterstofbom,' zegt moeder, 'dit is de rekening van de natuur.'

'Ach klets, jij met je bom ja.'

'En jij met je paarden.'

Ja, de bom. Nee, de bom. De springvloed verdwijnt onder tafel en het wordt weer gewoon gezellig oorlog.

Tot de volgende middag de krant met een extra-editie komt en het nieuws nat in meneer Java's handen trilt: zeker honderdvijftig doden. Na een opgewonden dag op school (een hele dag tekenen en voorlezen) spelt de jongen de krant over zijn schouders mee. **Ge-ïn-un-deer-den** staat er vet – een woord voor in zijn schrift. Hij vraagt om de foto van een piloot die boeren heeft gered, maar hij krijgt hem niet, aan de andere kant van de pagina staat een foto van een berg aangespoeld vee. Nee, meneer Java mocht het niet hardop zeggen, nee... maar misschien was dat toch erger, dat stomme vee.

Moeder heeft aan één blik genoeg en snelt weer naar de melkboer. Nog voor het avondeten weet ze hoe het met ál haar neven en nichten gaat en wat ze nodig hebben, en ze belde met tante Mijntje, die hoog en droog woont en die gierig en rijk is... Ja, zelfs zij zal iets voor de getroffen familie doen. Ze heeft al een oude bontjas opzij gelegd.

Er staat een kaart van het rampgebied in de krant: zwart is water, wit 'niet overstroomd'. Als iedereen de krant uit heeft, mag de jongen de kaart eindelijk overtrekken. Ook de witte delen maakt hij zwart. Uit schuldgevoel tekent hij er later een vlot bij, en een vlerkprauw, een stoomboot met drie rokende sigaren en zoveel dragers als er maar in de kantlijn passen.

Ook de volgende dag rent moeder op en neer tussen huis en telefoon: grootvader is op een motor over de dijk langs zijn land gereden, het water staat wel zes meter hoog, hij zag aan twee kanten koeien dobberen. De burgemeester van Klundert is kwijt en de landmacht heeft een student op zijn plek benoemd... voor een etmaal! De pachter heeft achttien uur met zijn vrouw en kind in een bootje geroeid... en grootvaders werkster bracht twee nachten op zolder door, de zee was door de ramen naar binnen gebroken en ze kon het dressoir tegen het plafond horen bonken... Drie dagen aan de telefoon en moeder weet meer dan de radio!

Meneer Java versuft zijn uren aan de leestafel van het hotel... hij zou wel met een trekpaard naar Zeeland willen, vee helpen redden of een jeep besturen, een motorboot... vroeger kon hij dat allemaal, maar het enige dat hij doet, is zijn handen zwartmaken aan stapels kranten. Hij vergeet zelfs zijn reddingspaarden.

Thuis spoort de krant op de mat de lezers aan tot actie: 'Er is hulp nodig: geld, dekens, speelgoed. Soldaten en studenten, meldt u aan!' Moeder wil iets doen. Ze is het aan haar familie verplicht: toen ze kaalgeplukt in Nederland aankwam hebben ze ook zoveel voor haar gedaan... Maar wat kan ze doen? Een mevrouw op het duin heeft haar werkster naar Zeeland gestuurd, om slik te vegen, ja, dat was een mooi gebaar. Maar meneer Java kan haar niet missen, hij is zo slaperig de laatste dagen. De meisjes dan...? Ze zouden graag willen, maar op het droge zijn ze meer van nut. Ze zal de neven en nichten een zak met kleren sturen. En de meisjes mogen collecteren, de tekenleraar heeft een tekening van een verdronken paard op het bord getekend en daar is een ansicht van gemaakt, die zullen ze voor een kwartje per stuk langs de deur verkopen.

De jongen wil ook helpen. Hij versleept de zak waar de kleren in moeten. Moeder loopt langs de kasten, een paar overhemden kan meneer Java makkelijk missen. En schoenen? Ze kijkt even op de gang of de kust veilig is... en opent voorzichtig (met een vinger op haar lippen, dit is een geheim tussen haar en de jongen)... meneer Java's krakende ladekast. Een paar halfhoge met bont gevoerde Bally's glijdt onder in de zak. Afgedekt met een van haar reformjaponnen. De meisjes staan samen twee kriebeltruien af – ooit zelf gekregen en nu ruimhartig doorgeven. En van hem?

De jekker!

'Nee.'

'Je draagt hem bijna nooit.'

'Het is mijn lievelingsjekker.'

'En laatst zei je: "Ik draag liever mijn oude jas."'

'Om mijn nieuwe nieuw te houden.'

'Ja, zo zeuren we allemaal wat.' Moeder haalt de jekker van de kapstok, maar de jongen klemt zijn vuisten om de zak. 'Wil je geen arme neef gelukkig maken?'

Maar de jongen houdt vol: wat moet een boerenkinkel in zijn jas? Als hij hem weggeeft zal er niets meer van hem overblijven.

'Maak open,' beveelt moeder. Ze trekt aan de zak. De jongen stribbelt tegen – hij krijgt pilotenmoed –, hij vecht voor zijn jekker, zijn vuisten sluiten als ijzer, hij trapt van zich af, bijt in haar hand. Moeder slaat terug. De meisjes komen haar ontzetten. De meisjesweerbaarheid staat altijd klaar. Ze kelen de jongen en proppen de jekker ruw in de zak... Meneer Java doet niets, hij kijkt stom naar de ansicht met het verdronken paard. Nee, neem dan de vrouwen! Aanpakkers zijn het, juist in tijden van nood.

Moeder zegt: 'Je denkt alleen maar aan jezelf.'

medailledag

Meneer Java poetst zijn medailles op. Al opruimend was hij ze weer eens tegengekomen, in een zwarte blikken doos. Ze liggen uitgestald op een oude krant. Zilver- en koperpoets, zand, citroen, Vim en een oude wollen sok moeten zijn heldendaden weer glans geven. Meneer Java heeft ook de bij de medailles horende oorkonden uit de blikken doos gehaald en leest de verdiensten voor: 'Koninklijk Besluit 26. De zilveren medaille voor bewezen moed aan de Instructeur der Cavalerie...' Hij gromt: 'Onzin. We scheten in ons broek van dapperheid. Ze hebben nooit verteld hoe het zou zijn, zó... eh, ingewikkeld.' Meneer Java denkt hardop: '... Ingewikkeld ja: een land dienen dat jij niet kent, dat jou niet wíl kennen... in een land dat zíj niet kennen. Voor vreemden vechten, tegen bekenden. Oogsten door gewassen te vernietigen... geprezen worden om je daden, spijt hebben van wat je deed en het morgen weer willen doen.'

Middelzus doet net of ze niks hoort, ze kijkt half toe, haar andere helft leest. De jongen luistert met open mond.

'Koloniën is doorgestreept,' zegt meneer Java, geschrokken van zijn eigen stem. Om zich een houding te geven neemt hij de oorkonde door als een dictee: 'Als belooning vanwege de Koningin... oude spelling... en toch bij de tijd, want ze hebben er Ministerie van Overzeese Gebiedsdelen boven getypt. Overzee... ze hadden het Ministerie van Pijnland moeten noemen.' Hij wrijft een bronzen koningin op, peutert met een aangescherpte lucifer de aanslag uit haar kroon. 'Pardon mevrouw, wij deden het voor u. Voor Koningin en Moederland... Maar geloof nu maar niet dat je als je tot je middel in de modder loopt aan de koningin denkt.'

'Waarom heb je geen gouden medailles?' onderbreekt middelzus hem.

'Goud is voor officieren,' zegt meneer Java betrapt.

'Werd je niet bevorderd?'

'Hoger kon ik niet... er was geen geld voor school.'

'En jullie waren zo rijk?'

'Toen even niet. Mijn vader ging dood en mijn moeder deed ons in een weeshuis omdat het zonder kinderen makkelijker was een nieuwe man te zoeken.'

'En toen ze die vond?'

'Begon de mobilisatie en was ik volleerd...'

'Volleerd waarin?'

'Poetsen.' Meneer Java keert de bronzen medaille om en begint aan de andere kant.

'Draaitie man je,' spelt de jongen ondersteboven van een oorkonde.

Je maintiendrai.

zakkenvullers

Goed, hij heeft dus heldhaftig voor zijn land gevochten – dat weet verdomme het hele dorp –, tot aan de uiterste grens is hij gegaan: achter de oceaan en over de woestijnen heen, waar de globe een naad heeft, recht op de evenaar. Te paard, peddelend in een prauw, hangend aan de klauwen van een adelaar – bij wijze van spreken dan. Gevaar heeft hij doorstaan. Echt gevaar. Kogels, granaten, hinderlagen, vulkaanuitbarstingen... niks bleef hem bespaard. En wat hield hij eraan over? Littekens, medailles en een beetje pensioen.

'Het is helemaal geen pensioen,' verbetert moeder hem, 'dat krijg je pas veel later.'

'Maar ik heb er wel recht op.'

'Voorlopig krijg je onderstand.'

'Ik hoor niet bij de onderstand!'

'Noem het dan een tegemoetkoming.'

'Tegemoetkoming... tegenwerking zal je bedoelen! Ik moet telkens door mijn knieën voor die lui.' Meneer Java slaat zijn handen voor zijn ogen en gromt als een wolf...

hij haat de ambtenarentaal: 'Een fooi noem ik het, een rot-fooi!'

Maar nu krijgt hij ineens niets meer, al twee maanden niet. De envelop van de postcheque-en-girodienst blijft uit. Geschreven, gebeld, uren voor loketten gestaan, maar de dames en heren van de administratie gaven niet thuis en de gemeente al helemaal niet. Meneer Java zit niet meer in de kaartenbak. Weg. Opgeslokt. Geen naam, geen adres. Verleden, heden, ze weten van niks. Was hij wel ooit ingeschreven? En sinds wanneer verblijft hij in het land? Niemand die er iets van begrijpt. Hoe meneer Java ook soe-batte, wat voor bewijzen hij ook liet zien – medailles, wild-vlees op kuit of bovenarm, sporen van schampschot, zweep en prikkeldraad –, het mocht geen indruk maken. Hij moet eerst maar eens bewijzen dat hij bestaat. Vragenlijsten in drievoud in te vullen en aangetekend te verzenden.

Moeder steunt hem waar ze kan: ze heeft er zelfs een mantelpak voor aangetrokken en is mee gaan smeken bij de commissaris van de koningin. Gepantserd oogt ze in haar mantelpak, met bustes van karton, om een straat voor om te lopen... maar ze is niet verder gekomen dan de wachtkamer van het provinciehuis. 'Dit hele land is een wachtkamer,' verzucht meneer Java.

De meisjes leven mee, de jongen is gehoorzamer dan ooit en oefent stil meneer Java's handschrift op de afge-dankte vellen carbonpapier... Pensioen, pensioen, een woord dat hij in de wieg al moet hebben gehoord. Ook de meisjes weten wat hun later te doen staat: een beroep kie-zen met pensioen. Buren en bezoek praten erover: wie biedt het beste pensioen? Helaas, voor wat het oor vaak hoort, houdt de hand zich doof: *Pensieon, pensoen, pesnie-on...* Op papier wil het woord maar niet lukken. Zodra de jongen de spelling onder de knie heeft, zal hij een foutloze smeekbede aan de koningin schrijven.

Om meneer Java terug te vinden verzinnen de ambtenaren de raarste dingen. Na de vragenlijsten moet hij ook nog worden doorgelicht. Doorgelicht! Alsof hij iets te verbergen heeft. O-benen, ja, omdat hij eerder leerde paardrijden dan lopen. Of is dat soms ook al verboden? Moet-ie zich soms schamen dat zijn vader geen arbeider was? Meneer Java foetert tegen de wereld. Maar hij weet: met dwarsliggen kom je niet ver, dus zucht hij voor het raam, vloekt hij binnensmonds, knijpt hij een geranium tot moes en schikt zich naar de grillen van de ambtenaren.

Voor het doorlichten sturen ze hem naar een consultatiebureau in de stad. Daar willen ze zijn botten tellen en de vullingen in zijn kiezen. Goud, geen lood! Dat wordt dus extra tandenpoetsen, langdurig baden, poeder op de billen, het beste ondergoed, sokophouders, pak. Geen bedelpak, maar beste pak. De jongen sleept hij mee – hij zal ze laten zien dat hij verdomme een kind op de wereld heeft gezet waarvoor hij zorgen moet. 'Hup, trek je zondagse broek aan. We laten ons niet kennen.' Niet zielepieten. Recht is recht en ze komen het halen.

Voor de deur van het gebouw trekt meneer Java zijn overjas uit en overhandigt hem aan zijn zoon. Dan leegt hij de zakken van zijn pak... portemonnee, aansteker, de oproep, een zakdoek, een verdwaald kwartje... 'Hier jongen, stop goed weg.' En nu al zijn zakken binnenstebuiten. Jaszakken, broekzakken – opzij, vanbinnen en vanachter. Twee witte punten steken uit zijn heupen, twee uit zijn zij, twee achter uit zijn kont. Een kleine draai, beheerst en waardig... nog een laatste ruk links en rechts aan de punten van zijn witte voering en meneer Java belt aan: plechtig platzak. Met opgeheven hoofd loopt hij naar binnen. De jongen erachteraan, zwaar van de volle overjas. Portier, zusters, doktoren, ze deinzen opzij.

Meneer Java loopt met vleugels.

Een zwarte slee staat voor het huis. Achter het stuur zit Piet, tante Mijntjes huisknecht, tuinman en chauffeur; zijn pet ligt op het dashboard tegen het raam, zo lijken het twee petten, een van glas en een van stof. Piet probeert een straaltje zon te vangen, hij rookt leunend achterover en tipt zijn as uit het portierraam. Piet mag niet naar binnen. Tante Mijntje is op inspectie. Ze komt de schade van de Watersnood opnemen, ook bij familie die geen schade heeft; ze inspecteert elk jaar, liefst onverwacht op een zondag, om dan met het hele gezin naar de kerk te kunnen gaan, maar dit keer heeft ze haar komst vierentwintig uur van tevoren aangekondigd, genoeg tijd om haar geschenken uit de kast te halen en opvallend uit te stallen.

Tante Mijntje is net als moeder van boerenkomaf, maar ze is de rijkste van allemaal omdat ze met een notaris is getrouwd. Ze woont op een buiten – ver van de mest. 'Zonder haar waren we nergens,' zegt moeder; als ze erg omhoogzit, belt ze haar weleens (meneer Java mag daar niets van weten). Tante Mijntje heeft de meisjes ieder een zilveren cassette beloofd als ze later in de kerk trouwen. Zelf heeft ze geen kinderen; als ze doodgaat, erft moeder zestig bunder land. (Achter haar rug is dat geld al vele malen uitgegeven: een auto en het liefst een eigen huis. 'Zodat we de gang niet meer met al die armoedzaaiers hoeven te delen,' zegt meneer Java. Moeder wil hoger wonen, ergens in het heuvelland, buiten het bereik van springvloeden en met een diepe kelder tegen de fall-out. 'Ergens op niveau,' beaamt meneer Java.)

Tante Mijntje wil niets liever dan dat de familie de weg naar omhoog terugvindt. Ze heeft er moeite mee dat haar nichtje zo jong naar de koloniën is gegaan en van haar familie vervreemd is geraakt. Als bewijs van het tegendeel draagt moeder de gouden Zeeuwse knoppen in haar oren en heeft ze de zilveren sloten van de familiebijbel opgepoetst. De meisjes hebben strenge instructies gekregen: rokken over de knie en filmsterren van de muur; de jongen moet zijn schoolschrift laten zien – met schone nagels graag. 'En pas op wat je zegt, geen "jeetje" of "o jee": tante Mijntje hoort in alles een vloek.' Meneer Java heeft een andere pil gekregen, door moeder eigenhandig uit een buis geschud en naast de vla gelegd. Tante heeft na haar vorige bezoek nog over hem geklaagd, ze vond hem veel te aangebrand. Dit keer zal het beter gaan. Er staat een erfenis op het spel...

'Nog steeds geen werk?' vraagt ze bij het eerste kopje koffie. Haar onderkin lilt, haar stem kraakt, ze is gewend bevelen te geven.

Meneer Java laat haar zijn correspondentiemap zien. 'Gaat komen, gaat komen.' Hij veinst onderdanigheid, maar zijn handen trillen van drift...

'Ja, ja.'

'Er lopen nog honderden sollicitaties.'

'Kalm, kalm.'

'De aanhouder wint.'

'Hoe lang zit je al zonder werk?'

'Ik ben niet dom genoeg.'

'Ja, ja.' Ze trekt de map naar zich toe en kijkt met een schuin oog naar moeder. Ze zet haar gouden bril op en laat de uitgeknipte advertenties en afwijzingen door haar vingers gaan. *Secretarie, administrateur, administratief medewerker...* 'Waarom alleen klerkenwerk? Je hebt toch twee handen?'

Meneer Java knarst op zijn glimlach.

'En wat is dit?' Ze houdt een getuigschrift op. *Dankzegging van Hare Majesteit de Koningin.* 'Toe maar! Toe maar!' Achterop zit een coupon geplakt. *Algemene Confectiehan-*

del van C&A *Brenninkmeijer. Heerenzaak. Goed voor één pantalon.* 'De datum is verlopen,' zegt tante Mijntje.

'Ik koop niet bij C&A.'

'Kopen? Krijgen!'

'Het is slechte kwaliteit.'

Tante Mijntje draait zich naar moeder en de meisjes (ze drinken koffie met hun knieën tegen elkaar) en zegt: 'Hoor wie het zich veroorloven kan.'

Aan tafel. Deftig gedekt met damast. In verband met de ernst van de situatie eet de familie warm tussen de middag, net als de boeren – maar niet te rijk. Omelet en bloemkool met aardappelen en een tweede pil voor meneer Java. Hij kijkt zo wit als de saus. Tante Mijntje leest uit de bijbel, over de damp heen. Daarna wacht ze met trommelende vingers op het gebed. De meisjes ratelen in koor.

'Ik kan jullie broer niet horen,' zegt tante Mijntje. 'Opnieuw, en nu hij alleen.'

'Here spijze deze zege dranke amen.' Verder komt hij niet.

'Van wie heb je dát geleerd?' vraagt tante.

Moeder kijkt over haar gevouwen handen naar meneer Java. 'Maar op school is hij heel voorlijk,' zegt ze. 'Laat je schrift maar eens aan tante Mijntje zien.'

De jongen zit op zijn schrift – trots, hij weet dat tante Mijntje bij een goed humeur geld toestopt, piepklein gevouwen briefjes – maar hij aarzelt...

'Kom, geef,' gebaart moeder ongeduldig. 'Hij kon al lezen en schrijven voor hij naar school ging,' zegt ze tegen tante Mijntje. Meneer Java hangt met toegeknepen ogen boven zijn bloemkool, zijn handen zitten nog op slot van het gebed.

Eerstezus neemt de leiding aan tafel over, zij verdeelt de

omelet. Middelzus gaat ermee rond. De jongen krijgt het kleinste stuk. 'Te veel is slecht voor je gal.' Zijn allergie is ieders zorg.

'Vertrouw je tante Mijntje soms niet?' jent eerstezus.

De jongen wiebelt op zijn stoel.

'Zit stil,' snauwt moeder.

Middelzus geeft hem een por en eerstezus grist het schrift onder zijn bil vandaan. Tante Mijntje houdt haar handen al op. 'Alstublieft,' zegt eerstezus met een hoofse knik.

Tante bladert, tante gniffelt, haar wenkbrauwen springen boven haar bril... 'Wat staat daar?' Ze houdt het schrift schuin voor eerstezus.

'Snaterwood,' zegt eerstezus.

'En daar?'

'Vee... veecuatie... vingsproet.'

Moeder wipt op en reikt naar het schrift, derdezus wil het ook inzien, eerstezus houdt het opengevouwen hoog en bladert door de bladzijden: tekeningen, landkaarten, rijtjes, zinnen, overgetrokken letters en woorden waaieren boven tafel, middelzus wijst gierend naar een uit de krant doorgedrukte foto: 'En dit is een...' ze kijkt nog eens goed naar de koeienletters eronder, alsof ze haar ogen niet kan geloven... 'een straalgaerpillot.' Ze perst haar lippen op elkaar.

'Wat is een straalgaerpillot?' vraagt tante Mijntje.

'Ik bedoel een straaljagerpolit,' zegt de jongen.

De meisjes proesten het uit. Het was niet in te houden. Moeder lacht niet, ze schatert... van de zenuwen. De omelet hangt achter in haar keel.

Meneer Java ontwaakt uit zijn gebed. 'Naar je kamer,' zegt hij lijzig.

De jongen gaat op bed liggen en verstopt zijn schrift onder zijn matras... niemand die daar kijkt. Hij bewaart er ook zijn in de duinen gevonden kogelhulzen in een platte sigarendoos, met mooie scherpe punten, van een moffenkarabijn. Hij houdt er een tegen zijn oor: een straaljager raast in de storm. Meneer Java klopt op de deur, hij stapt de kamer binnen... de jongen verbergt snel een kogel in zijn vuist. 'Zo was het niet bedoeld,' zegt meneer Java, 'tante Mijntje is...'

'Streng.'

'Christelijk.'

De jongen hoeft niet terug naar tafel, hij mag Piet een kop soep brengen. 'Waarom eet hij niet mee?'

'Piet zit liever in de auto.'

Als hij naar de auto loopt, prikt de kogel in de punt van zijn broekzak, de lepel rinkelt in de kom... Hij ziet zichzelf in de zwarte lak aankomen, als in een lachspiegel, breed en klein, de kom wordt een soepterrine... Maar die vreemde dikke spiegeljongen lacht niet om zichzelf, hij bidt dat hij niet knoeit en denkt aan de kogel in zijn broekzak, een woedende kogel die krassen wil... even langs de kofferbak, ongemerkt in het voorbijgaan... een straaljagerspoor.

Piet drukt zijn sigaret uit en draait het raampje naar beneden, de rook vermengt zich met de damp van de soep, een paar knoestige handen pakken de kom aan... een knik, een grijns met ontbrekende tanden... Dit is dus een knecht, de eerste die de jongen in zijn leven ziet, een huisknecht die niet binnen mag komen... met dienbladhanden en een ribbenkast uit stronken opgebouwd.

'Gij zijt een goed jongmens,' zegt Piet.

De kogel krimpt in de jongensbroek.

Voor haar vertrek neemt tante Mijntje moeder nog even in de zitkamer apart: ze wil het huishoudboekje doornemen.

De meisjes zijn al beloond, ieder kreeg een scherp gevouwen tientje in de hand gedrukt en nu strijken ze hun buit in de slaapkamer glad. Meneer Java en de jongen zijn met niets de gang op gestuurd. De deur gaat op slot, maar tantes stem klinkt door alle muren heen... 'En die medicijnen,' horen ze haar informeren, 'betaalt de ziekenkas dat niet?'

'Nervositeit valt daar buiten.'

'En ook al geen onderstand.'

'Het moet een vergissing zijn,' zegt moeder.

'De koek is niet van elastiek...'

'Maar hij heeft zo'n last van...' Moeder fluistert iets. Meneer Java en de jongen houden zich stil achter de deur... zijn hak krast een cirkel in het zeil.

'Je ziet er niets van...'

'...'

'Kamp? O, je bedoelt de oorlog!' kraakt tante door de kamer. 'Praat me er niet van!'

'Nee,' zegt moeder zachtjes.

'Vreselijke tijd... vijf jaar haas gegeten!'

dievenvingers

Moeder heeft van tante Mijntje een doos kersenbonbons cadeau gekregen. Mooiere letters dan op die doos zag de jongen niet eerder. Kringelletters in dik goud opgelegd, zelfs een blinde kon ze lezen, prima overtrekbaar. Helaas geen oefenmateriaal. Moeder bewaart hem boven in de kast. Hij zal pas op een feestelijke dag worden opengemaakt. Dat kan nog lang duren.

Na een maand ligt de doos nog steeds in de kast. Stoel voor de kast, kijken, de letters overtrekken – de golvende к, de handtekening van de fabrikant – en voelen natuurlijk: de vijf rode kersen aan hun groene stelen, de nerven van de blaadjes, het gladde cellofaan. Maar het is niet alleen de buitenkant die de jongen naar de doos lokt; daarbinnen ritselt het...

Hij heeft hem al tegen zijn oor gehouden en geluisterd hoeveel erin zitten. Terug die doos. Zo gaat het al dagen. Tot zijn pinknagel voorzichtig de naden van het cellofaan verkent en de verpakking zonder scheuren openbreekt. Het deksel klemt, een chocoladewind ontsnapt – er is geen weg meer terug. Toegevouwen onder dekentjes van glanzend bruin papier verlangen twee dozijn bonbons in geribbelde kuipjes naar een gulzige mond. De jongen haalt er twee uit, herschikt de tweeëntwintig overblijvers en dekt ze toe. Deksel erop, cellofaan erom, een lik Arabische gom langs de naad en niemand die er iets van ziet. De volgende dag neemt hij er weer twee en de dag daarop weer. Hij is handiger dan hij dacht. Hij bouwt een honingraat van lege kuipjes. Met zijn dievenvingers.

Weken later haalt moeder de bonbons uit de kast en opent een lege doos... De hele familie wordt erbij gehaald. Keuren, ruiken... Inderdaad, het cellofaan zat er strak omheen, de kuipjes zijn intact... vreemd, het moet een fabrieksfout zijn! Dit neemt de familie niet. Meneer Java zet zich onmiddellijk aan tafel om een boze brief naar de directeur van de chocoladefabriek te schrijven. Moeder en de meisjes lezen over zijn schouder mee: 'Mijnheer... U leverde ons 500 gram lucht. Buitenkant zonder inhoud...! Potemkinbonbons. Waar is de liefde voor het handwerk gebleven? Zien de arbeiders het eindproduct niet meer?'

Meneer Java verfrommelt het ene vel na het andere, hij is niet in vorm, kan de juiste toon niet vinden... '"Er wordt in dit land niet meer behoorlijk gewerkt!" Zal ik daarmee eindigen?'

'Dat zou ik maar niet doen,' zegt moeder.

'Maar vroeger gebeurde dat soort dingen hier niet.'

'Hoe weet jij dat?'

Meneer Java briest: 'Het is de schuld van het socialisme en Nederland holt achteruit.' Ja, dat wordt de laatste zin.

De jongen deelt in de verontwaardiging, maar het vreemdst van al vindt hij dat mensen die honger hebben gekend hun snoep zo lang boven in een kast kunnen bewaren.

in de trein

Meneer Java heeft een afspraak met een advocaat in de stad. Moeder wil dat de jongen met hem meegaat, voor de rust – háár rust – want meneer Java loopt tegenwoordig in zeven sloten tegelijk. Dat wordt dus reizen met de boemel en ook nog eens een keer overstappen. Plus een dag vrij van school. Het gaat om een slepende affaire, meer heeft moeder er niet over willen loslaten.

'Wat doet een advocaat?' vraagt de jongen onderweg naar het station.

'Oneerlijke mensen helpen,' zegt meneer Java in gedachten verzonken. Hij koopt een tweede- en een derdeklasretourtje aan het loket. Derde klas voor de jongen, tweede klas voor zichzelf. Zuiniger lukt meneer Java niet. De derdeklasmensen zitten te dicht op elkaar, de derdeklasbanken zijn te hard voor zijn hart, de derde klas ruikt naar zure washandjes, de derde klas... hij struikelt over zijn eigen excuses, maar de jongen is te verbaasd om te protesteren. Hij niest.

'Je kan niet jong genoeg alleen leren reizen,' zegt meneer Java als hij de jongen op de derdeklastreeplank achterlaat. 'We zien elkaar straks op het grote station.'

De jongen zoekt een plaats bij het raam. Het glas spiegelt een beetje, als hij in de juiste hoek gaat zitten, kan hij naar twee dingen tegelijk kijken: het landschap en zijn eigen hoofd. De boemel trekt op en hij ziet zijn gezicht door de berm flitsen. Een kwartier later snijdt de trein door een weiland en grazen er koeien in zijn haar. Langs het kanaal neemt de opwinding af, donker en leeg is het daar, een sloom stuk dat hij kent van eerdere tochtjes (tweede klas), maar na een flauwe bocht schittert het water ineens anders... de halve coupé weerspiegelt zich in het raam... De jongen veegt zijn mondhoeken schoon, stopt de opspringende kraag van zijn overhemd onder de boord van zijn sweater... kin vooruit... ja, zo ziet hij er netter uit. Hij kijkt naar zichzelf zoals hij denkt dat anderen hem zien: een jongen helemaal alleen in de trein. Flink hoor. Waar zou hij heen gaan? En waarom heeft hij geen bagage? Hij zal toch niet weggelopen zijn? Hij reist zonder vader, zonder moeder... misschien is het een oorlogswees? Geen arbeiderskind, dat zie je zo: mooie grijze lange flannel broek met Engelse omslag, een sweater zonder vlekken, hij is helemaal heel. En wat glimmen zijn schoenen! Schone nagels heeft hij ook, nog geen schrijfbobbel, beginnetje misschien... Wat zoekt hij toch steeds in zijn broekzak? Zit toch eens stil! Wat doet hij raar, hij heeft toch niks te verbergen? Weer gaat die hand. Ja, hij zit ergens aan... nee toch? Zeg jongen, wat zoek je in die broekzak? Wat heb je daar...? Een zakdoek. En daaronder...? Een opgevouwen tientje in de punt van de broekzak. Waarom zo goed weggestopt... biecht eens op...? Omdat het een gestolen tientje is – uit de huishoudportemonnee. Zomaar, zijn dievenvingers hadden het gedaan voor hij het wist. Geen stem die hem op dat moment tegensprak. Maar nu verraden zijn ogen hem. En zijn weke slappe lippen. De man aan de overkant heeft hem in de gaten... ook hij kijkt naar buiten, hun blikken ontmoeten elkaar in het spiegelende raampje. De man lacht naar hem, hij lacht hem uit... kijkt dwars door de jongen heen... zo voelt het... naakt. Mooie sweater, dure broek, ja, ja... maar de man weet: daaronder zit een ordinaire dief. Een oneerlijk mens. De jongen probeert de andere kant op te kijken, durft zichzelf niet meer onder ogen te komen.

De boemel glijdt een bocht in, de zon lijkt mee te draaien, raampje en kanaal spiegelen niet meer... weg valt het dievensmoel. De weiden rukken weer op. En de jongen ziet alleen nog maar koe. Hij gaat verzitten, durft niet meer naar de man tegenover hem te kijken, hij trekt sporen in de zachte stof van zijn broek en speelt met het deksel van de asbak onder het raam.

De boemel stopt bij elk station. De locomotief mindert vaart bij Schild en Heil, het gekkengesticht; soms werpen de gekken zich daar voor de trein, hebben de meisjes hem verteld. Hij drukt zijn neus tegen het glas om op het grind naast de rails te kunnen kijken. Niks te zien. De chocoladefabriek rookt erop los, de wagons ploegen door dampen cacao. De jongen spelt het woord met een vinger op het glas: coaca... cacau.

Nog grotere fabrieken en rokende schoorstenen zoeven voorbij. Het wordt drukker in de coupé. Nieuwe passagiers stappen in, ze dragen de geuren van fabrieken mee naar binnen: linoleum, koffie, meel, versgezaagd hout. Mannen in pilobroeken, vrouwen met schorten... hij snuift hun kleren op. Zo ruikt de derde klas. En hij moet er niet eens van niezen. Als de locomotief weer optrekt, zakt de man tegenover hem breed onderuit, zijn knie raakt zijn flannel. De jongen drukt zijn rug tegen de bank, de knie schuift naar voren... Er komt een vrouw naast de man zitten. De knie trekt zich terug en de jongen vlucht in de vouwen van zijn broek... tot zijn ogen opnieuw moeten dwalen en hij aan de andere kant van het gangpad een pafferige bleke man ziet zitten. De man zwaait. Naar hem! Hij heeft zijn wanten nog aan. 'Dag meneer,' groet de jongen zachtjes terug. Hij heeft hem nog niet eerder opgemerkt, misschien is hij net ingestapt. Wat een belachelijk grote wanten. En met dit lenteweer.

De jongen probeert aan iets anders te denken. Maar hij kan zijn ogen niet van die wanten afhouden. Hij moet kijken, zoals hij ook de zweetgeur uit de knie tegenover hem moet opsnuiven, zijn neus en ogen dwingen hem.

De dikke man blijft zwaaien. Een gek, denkt de jongen, een ontsnapte gek. Hij zwaait terug – hij wil het niet, maar het moet!

Daar zit een vriend, denkt de gek, een vriend die mij groet... die ga ik een hand geven! De gek neemt zijn rechterwant in de mond en trekt zijn vingers bloot. Een witte hand wappert in het gangpad. Ziet de jongen wat hij ziet? Een witte hand met zes vingers! Lange slappe vingers.

De vrouw schuin tegenover hem pakt haar tas en loopt weg. De jongen controleert van de zenuwen of het gestolen tientje nog in zijn broekzak zit. De vieze knie kruipt weer naar de flannel broek. De zesvingerige hand ziet zijn kans schoon en schuift naar de lege plaats. De knie schrikt... De ogen van de jongen zuigen zich vast aan de zes vingers. Een bloem zwaait daar... een witte zeeanemoon. Een vreemde opwinding maakt zich van de jongen meester: de hand is zo schoon, ziet er zo babyzacht uit...Werkeloos. Vingers zonder geschiedenis. Een telfout van God en toch zonder zonden. Onschuldiger dan zijn dievenhand.

Dit zijn dus de derdeklasmensen, met hun derdeklasmanieren en derdeklasgeuren. En hij is nog minder dan zij.

Het is druk op het grote station. Hoeden, tassen en koffers en schreeuwende kruiers banen zich een pad tussen de reizigers. Even raakt de jongen in paniek als hij meneer Java niet tussen de uitstappers ziet, tot hij aan zijn kraag uit de meute wordt gevist. Meneer Java houdt hem vast maar kijkt hem niet aan, hij is druk in gesprek met een blonde mevrouw. Waar komt die ineens vandaan? Ze draagt een lange lichtblauwe mantel, smetteloos tweede klas, ze ruikt overdonderend, naar zuurstok en zoete zeep, haar haren glanzen, net als haar lippen, oranje lippen, en ze lacht... Ze lacht naar meneer Java, maar de jongen ziet ze nauwelijks staan. Ze haalt een pluisje van meneer Java's jas, veegt een oranje vlekje van zijn wang... De jongen kijkt naar haar op, bewondert haar parelmoeren knopen... Als ze een kruier wenkt en met hem wegloopt om haar koffers aan te wijzen, fluistert meneer Java snel iets in zijn oor: 'Ik ben je oom.'

'Waarom?'

'Doet er niet toe, zeg oom.' Oom. Meneer Java knijpt het woord in zijn nek.

De vrouw komt terug, gevolgd door een steekwagen met koffers. Meneer Java loopt met haar mee naar de taxi's. Ze hebben veel te bepraten... In de spoortunnel kaatsen hun stemmen tegen andere stemmen: 'Weet je nog...? Ik heb ze altijd bewaard.' De wieltjes van de duwkar knarsen door hun woorden heen. 'Waarom heb je nooit... Je kan toch... Hoe heerlijk had het niet kunnen zijn... Ja, tabee hoor. Tabee dan.' Een afscheidszoen – op haar lippen –, het geklik van hoge hakken... en de vreemde mevrouw verdwijnt wervelend blauw tussen de zwarte auto's. De jongen heeft niet eens de kans gekregen om oom te zeggen.

'Wie was dat?'

'O, een kennis... ik ben haar naam vergeten,' zegt meneer Java afwezig.

Een kennis van vroeger... zoveel heeft de jongen wel begrepen. Van de bruine foto's, uit het land van voor zijn tijd.

'Kom mee, we hebben nog een paar minuten,' meneer Java duwt de jongen naar de granieten trappen en ze haasten zich zij aan zij naar de sneltrein. 'En nu gaan we uitwaaien,' zegt meneer Java als hij de jongen het gangetje tussen tweede en derde klas in loodst. Het stuk waar twee wagons aan elkaar vastzitten, waar het tocht en dampt en sist, waar twee ijzeren tongen over elkaar heen schuiven en het licht door de kieren speelt en je de rails onder je voeten ziet glimmen. 'Vroeger ging ik daar als kind de olifant aaien,' zegt meneer Java. 'In mijn tijd werden de verbindingsstukken tussen de treinstellen van olifantsvel gemaakt. Oersterke harmonica's. *Getjank, getjank...* in een rijdende trein, van wagon naar wagon, springend over de ijzers...' Meneer Java aait een denkbeeldige olifant. 'Twaalf millimeter dik, kwam je met een gewoon jachtgeweer niet doorheen. Hadden wij maar zo'n dikke huid...'

De trein zet zich in beweging. Meneer Java en de jongen staan ieder op hun eigen ijzer en moeten zich goed aan elkaar vasthouden. Ze wiebelen, schudden... 'Ogen dicht,' schreeuwt meneer Java over het *getjank, getjank* tussen tweede klas en derde klas.

De jongen haalt diep adem en laat de wind in zijn gezicht blazen. Zijn ogen tranen. Hij voelt een spat op zijn wang – een traan van meneer Java. 'Laat maar stromen jongen, het vuil moet eruit.'

Het tientje kriebelt in de punt van de broekzak, de jongen kneedt het tot een propje en laat het in een krijsende bocht tussen de twee ijzeren tongen vallen... de wind schrokt het op. Meneer Java heeft niets gezien, hij waait met gesloten ogen door zijn herinneringen. Maar de jongen wil zich niets herinneren. Hij wil vergeten dat hij een dief is. Vergeten, alles vergeten. Het vuil moet eruit.

verraad

Meneer Java beeft over zijn hele lichaam als hij thuiskomt. Moeder weet niet wat ze ziet. De jongen beeft ook. Zijn haar zit in de war, er lopen strepen snot over zijn sweater. Maar meneer Java is er erger aan toe: das scheef, pak vuil en grauw van... ja wat? Wat is er gebeurd? En waarom zijn ze zo laat? Het is al etenstijd, de meisjes zitten aan tafel.

'Verraad. Puur verraad. Om uit je vel te springen!' raast meneer Java achter een haastig opgeschept bord macaroni. 'Wat een bezoek aan zo'n advocaat niet oplevert.'

'Misschien moeten we het strakjes samen bespreken,' sust moeder, 'als je wat gekalmeerd bent.'

Maar meneer Java's woede staat geen uitstel toe. Iedereen mag het weten, de hele tafel, het hele dorp, het hele land, dat hij, meneer Java – een werkloze in de onderstand (ja, het moet maar eens hardop gezegd) – elke dag in het duurste hotel van het dorp twee koppen koffie drinkt, geserveerd in een zilveren kannetje met drie koekjes op een schaaltje, om zich daarna urenlang door een stapel kranten en tijdschriften heen te lezen, binnen- en buitenlandse, voor de som van één gulden per dag. Goedkoper dan een leesportefeuille of een abonnement. En daarom krijgt hij geen ondersteuning meer. Want de gemeente is bang dat alle werklozen, voor iedereen zichtbaar, elke dag in chique hotels dure koffie gaan zitten leuten, en wat zou men daar dan niet van denken? Betaalt men daar belasting voor?

Men, men... Meneer Java walgt van dat woord. Wie heeft hem uit de kaartenbak gedonderd?

Men!

In het geniep.

Het is een schande. Zelfs de meisjes zijn het met hem eens. Even maar, want als hij vertelt dat hij bij de advocaat de deur zo hard achter zich heeft dichtgetrokken dat het portret van de koningin naar beneden kwam – compleet aan diggelen – en hoe hij en de jongen toen spoorslags naar het gemeentehuis zijn afgereisd om daar nog net voor sluitingsuur een ambtenaar over de balie te trekken, dan zeggen ze zuinig: 'Zoiets doet men niet!'

'Ik ben geen *men*,' krijst meneer Java over tafel. Zijn das fladdert van opwinding onder zijn kin. De meisjes verstijven achter hun bord en moeder lost snel een pil in water op. Meneer Java slaat het glas ruw uit haar handen: geen medicijnen meer, hij laat zich niet meer plooien en kooien.

'Je bent onhandelbaar!' zegt moeder.

'En onbeschoft,' zeggen de meisjes.

'Beginnen jullie ook al?' Nou, meneer Java kan nog harder schreeuwen. Hadden ze hem vanmiddag moeten zien, tegen die laffe ambtenaar. Maar zo is hij mooi aan de weet gekomen wie hem heeft verraden... Hij zwijgt en kijkt ze verwachtingsvol aan... Niemand vraagt 'wie?' 'Mevrouw Snethlage,' zegt hij ten slotte.

'Mevrouw Snethlage?' roept de eettafel.

Ja, die eeuwig voor alle ziektes collecterende mevrouw Snethlage, voorvechtster van al het goede, schrijfster van medemenselijke snotterstukjes in de dorpsbode, die hij uit pure goedheid nog gelezen heeft ook, ja, mevrouw Snethlage, met haar pony, die belediging voor paard en vrouw, ja, dat mens dat altijd zingend op de fiets zit en met haar bel belt: hier kom ik aan, zij die zo leuk laconiek doet, met haar mond vol meningen, ja, zij heeft hem dus aangegeven... Verraden.

'En weet je wat ik toen heb gedaan ja?' Twee vuisten rusten op de rand van zijn bord... de macaroni trilt.

'Je gaat te ver,' waarschuwt moeder.

Nee, meneer Java begint pas: hij heeft mevrouw Snethlage eens flink de waarheid verteld. Toen ze voorbij kwam fietsen, vanmiddag, in het dorp! Gewoon staande gehouden en haar voorwiel tegen de stoep gedrukt... Ze was zich van geen kwaad bewust, zei ze. Had er alleen maar toevallig met een ambtenaar over gesproken, zei ze. Nee, die brief kwam niet van haar, LOOG ZE. Meneer Java schreeuwt... en dreint en zeurt.

De meisjes houden elkaars hand onder tafel vast, knijpen elkaar kalm. Moeder roert haar macaroni tot pap. En de jongen? Die is er niet. Hij zit er wel, maar hij oefent zich in het er niet zijn, met alle kopkracht die hij op kan brengen.

'Die fiets kan naar de schroothoop,' zegt meneer Java.

'Van mevrouw Snethlage?' vragen de meisjes bevreesd.

'Platgestampt...' Om zijn woorden kracht bij te zetten slaat meneer Java met zijn vuisten op de rand van zijn bord, de macaroni spat in zijn gezicht. Hij kijkt verbaasd naar de troep die hij heeft gemaakt.

De eettafel verstijft – maar niet lang, het eten wordt koud.

'Je maakt ons te schande,' zegt middelzus.

Moeder kijkt de jongen onder het stille kauwen aan. 'Jij was er toch de hele dag bij?'

De jongen weet niet waar hij kijken moet, maar is vastbesloten zijn kiezen op elkaar te houden.

'Lafaard,' zeggen de meisjes.

De meisjes dweilen de eetkamer, de jongen sopt het behang. Moeder neemt meneer Java met een hete theedoek onder handen en in dat stille poetsen, waarin alles wordt weggeveegd – de vlekken, de scherven, de woede en de woorden –, horen ze plotseling een vrolijk zingende vrouwenstem op straat en een schelle fietsbel en als moeder even over de geraniums naar buiten kijkt, ziet ze plotseling mevrouw Snethlage voorbijzoeven – rechtop, goedge-mutst en ongeschonden. Hoe kan dat?

'Jullie denken dat ik een hekel aan haar heb, hè?' zegt meneer Java onder het schoonkrabben van zijn manchet, 'nee hoor, ik heb alleen maar een hekel aan mezelf, omdat ik niets heb gedaan... geen haartje gekrenkt, geen vloek, he-le-maal niets.'

De meisjes stormen op hem af, rukken aan zijn jasje, stompen op zijn rug: 'Leugenaar, leugenaar.' O, wat heeft hij ze bang gemaakt... Hij is gek, stapelgek. Ze zullen alles aan de dokter vertellen.

Moeder jaagt ze met haar theedoek de kamer uit. Als meneer Java zich weer een beetje heeft gefatsoeneerd en met zijn handen in de broekzakken voor het raam staat, bliksemschichten uitzendend naar een reeds lang uit het zicht verdwenen mevrouw Snethlage, zegt hij: 'Ik voel me als een olifant op een taboeretje: poot ophouden, kunstje doen en pillen slikken... Maar ik wil het oerwoud in.'

'En dan?' vraagt moeder.

'Bomen ontwortelen.'

'En dan?'

'Luid trompetteren. Achter mijn belagers aan.'

'Wie zijn je belagers?'

'Prrrpoepoeppoe...' Meneer Java trompettert. En als hij geen lucht meer heeft: 'Ja, ik weet het ook wel... ik ben een blok aan je been. Stuur me maar weg.'   **89**

moeder besluit – een monoloog

«Hoe oud mijn moeder was toen ze in het kraambed stierf weet ik niet, nooit gevraagd en ik stond er niet bij stil... maar haar dode gezicht zal ik nooit meer vergeten, het is mijn eerste herinnering, op de arm van mijn vader.

De dag daarna verlieten we de boerderij en betrokken we een huis in het dorp. We namen een pachter, mijn vader werd herenboer.

Afscheid nemen heeft me sindsdien nooit veel moeite gekost.

De trein naar Parijs reed over het land van mijn vader. Parijs, voor een boerenmeisje was dat de andere kant van de wereld. Soms stopte hij midden in het weiland, zuchtend in wolken stoom. In de keuken van de restauratiewagen werkte een kok met een hoge witte muts.

'Mag ik naar Parijs?' vroeg ik mijn vader.

'Je hoort bij de klei,' zei hij.

Op mijn zestiende ben ik aan boord van de trein geklommen. Meegesmokkeld door de kok van de wagons-lits. Afscheid nemen was er niet bij.

In Parijs zag ik de mannen uit het zuiden, zwarte en bruine mannen uit de woestijn en de tropen; ze lazen een boek in de metro of stonden op de markt achter dozen in zonlicht gedroogde vruchten. Hun tanden lachten zo wit, en op een zomerdag, midden in het Bois de Boulogne, liep een man in een tropenpak, met een aristocratische glimlach. Mannen van een heel ander slag dan de jongens uit mijn kleidorp, dat kan ik je verzekeren.

'Zijn we te min?' vroeg mijn vader toen ik hem zei dat ik een grote reis naar de tropen ging maken.

'Nee,' zei ik, 'maar ik wil rijst leren eten.'

Kort daarop heb ik afscheid van de aardappel genomen.

Ik had een jonge officier op het militairenbal ontmoet, zo bruin als een kastanje. Drie achternamen had hij en een moeder die nog met haar handen at. Met hem ben ik in de tropen getrouwd.

We zijn van eiland naar eiland getrokken, van buitenpost naar buitenpost en we bleven nergens langer dan een jaar. Vertrekken viel ons nooit zwaar. We reisden als vreemden onder de zon.

Voor de blanken daar was mijn man te donker en ons huwelijk te gemengd, voor de donkeren was ik te wit en hij te veel een soldaat van de blanken. Op den duur vervreemdden we ook van elkaar.

Drie dochters hielden ons bijeen.

De oorlog brak uit. Mannen en vrouwen werden gescheiden en dat was een zegen voor ons huwelijk. Zijn vrachtwagen reed naar rechts, de onze naar links, we hebben niet naar elkaar gezwaaid.

Ik heb drie meisjes achter prikkeldraad opgevoed. Zonder het te beseffen namen ze afscheid van hun jeugd. Te vroeg. Veel gebeurde buiten ons om in die tijd. Al in het eerste oorlogsjaar werd hun vader vermoord. Maar dat hoorden we pas na de vrede. Veel te laat. Afscheid nemen had toen geen zin meer – het leed was al geleden.

En nu deze man dus, die malle soldaat zonder strepen.

Twee militairen in één leven is veel voor iemand die niet van uniformen houdt. Ook in mijn vorige leven was ik met een militair getrouwd en in de twee levens daarvoor, echtgenote van strijders, keer op keer; dit is mijn vijfde militair. Ik weet niet wat me telkens naar soldaten trekt... Niet dat pakje. Het idee dat je vecht voor je land misschien?

Ze zeggen dat wat je in het ene leven niet lukt, in het volgende moet worden overgedaan. Wat doe ik dan telkens fout?

Mijn vader zei: 'Je had een boer moeten trouwen om het land in de familie te houden.' Meneer Java noemt zich een blok aan mijn been. 'Stuur me maar weg,' heeft hij gezegd.

Ik heb veel uit mijn handen laten glippen. Maar dit keer laat ik niet los. Dit huwelijk dien ik uit, want als ik het nu niet afmaak, moet ik het nog een keer overdoen.

Het is niet eenvoudig om afscheid van je fouten te nemen. »

achter het gordijn 3

De meisjes zingen een liedje van de radio, achter het gordijn in de fietsengang, heel zacht en toch hoorbaar:
'Paardman doet moeder niet meer trillen.
Want Paardman slikt alleen maar pillen.'
Ze zingen het nog eens, en nog eens, en neuriën het dan in huis.
'Hé,' zegt meneer Java als hij de melodie hoort, 'ken ik dat liedje niet ergens van?'
De meisjes proesten het uit.

souvenir

Het is woensdagmiddag, moeder en de meisjes zijn naar de stad, meneer Java heeft zich in het donker opgesloten. Tijd voor onderzoek. Het schrijfbureau is onvoldoende verkend, er moeten nog verborgen laden en spleten zijn waar geheime sleutels worden bewaard. De sleutel van de ijzeren tropenkist, de aandelenkist en de boerenkist, waarin de zilveren oorijzers van moeders overgrootmoeder verstopt zitten; schatten om te ruilen voor brood tijdens een hongersnood of voor een plaats op een vluchtschip... voor als het erop aankomt. De jongen weet waar de kisten staan, onder het luik bij de keukentrap (zodra meneer Java weer op krachten is, zal daar de atoomkelder worden uitgegraven), maar geen sleutel die erop past... tot nu toe. Ook de jongen wil paraat zijn.
De deurtjes van het schrijfbureau kraken, de laden gaan stroef; wat hij ook opent, sleutels vindt hij niet, alleen brieven, stapels brieven, ze puilen naar buiten, getypt, geschreven, luchtpostenveloppen en bruine met vensters. Vroeger (ook hij heeft een vroeger), voor hij naar school

ging, stortte hij zich op de post om de namen van de afzenders hardop te lezen: Rehabilitatie Regeling, Schrijnend Monetair Verlies, Raad voor het Rechtsherstel... spannende woorden die hij maar half begreep, geheimzinnige afkortingen: ODO – Opsporingsdienst Oorlogsgetroffenen, CEB – Centraal Evacuatie Bureau. Wat hij niet spellen kon, trok hij over – met overtrekpapier kwam elk bericht dubbel aan. Alleen de buitenkant mocht hij bekijken, de inhoud ging hem niet aan. Verboden kost! Niet voor nieuwsgierige Aagjes en potjes met grote oren. Maar nu hij die brieven dan eindelijk onder ogen krijgt, is hij teleurgesteld. Waar zijn de schatkaarten, de brieven aan toonder (goed voor duizend gulden), het bloed, de kogels en de doden? Kruitdamp wil hij ruiken en goudstukken tellen, tijgertanden, ivoor... de pepertuinen opsnuiven. Wat moet hij met grijze getikte regels vol onbegrijpelijke woorden? Hij wil dubbele bodems bekloppen, verborgen panelen met de druk van één vinger laten openspringen... hij zoekt de opwinding van een dief.

De zaklamp erbij gehaald en de holle ruimte achter de laden beschenen. Ook daar beklemde papieren en op de bodem gevallen enveloppen, hij harkt ze met een liniaal naar voren. Armzalige buit, zo op het eerste gezicht: wat luchtpostbrieven en foto's van de meisjes, op schoot bij hun eigen vader. Bruine foto's met bruine baby's. En een bleke van moeder in badpak. Zo bloot heeft hij haar nog nooit gezien, zelfs op het strand houdt ze haar jurk aan. Hij loopt ermee naar het raam, om haar in het licht beter te kunnen bekijken. Dit was dus zijn moeder. De moeder van de meisjes, halfbloot in de tropen, voor ze meneer Java ontmoette. Zou hij dit weten? Zal hij haar onder zijn bord leggen? Zijn vingers verkennen de hoge blote benen, zijn nagels raspen langs de witte kartelrandjes, het kietelt... het kleeft... dan scheurt hij de foto in gemene kleine stukjes. Om te weten hoe dát voelt.

Bij het terugschuiven van de laden merkt hij dat er ook een goudkleurig blikje op de bodem van het bureau ligt. Het deksel zit vastgeroest, er staan letters in gedrukt: *Emergency ration Not to be opened except by order of an officer.* Raadsels. Het blikje zelf spreekt duidelijker taal, het rammelt en zegt: 'Pik me.'

Dief wist zijn sporen uit en loopt inwendig dansend naar zijn slaapkamer. Nu heeft hij beet. De schroevendraaier wil niet onder de rand van het deksel. Het kreng glipt uit zijn vingers.

'Neem me mee naar buiten,' zegt het blikje.

Dief duwt de rand van het blikje tegen een stenen buitenmuur. Hij wringt en perst tot het deksel openspringt. Een houten plaatje valt op de grond – een stuk schil lijkt het wel, hard en bol, met een gaatje erin. Er staat een tekening op, een kinderkopje in wit en bruin. Wie zou het zijn? Een baby'tje is het nog maar, met de oogjes dicht. Een van de meisjes? Of het broertje dat alleen leeft in meisjesgefluister... en dat als je ernaar vroeg, nooit had bestaan.

Het blikje geeft geen antwoord. Het deksel is verwrongen, zo kan het niet meer terug in het schrijfbureau. Hij zal het met de fotosnippers in het duin begraven. Maar eerst knipt hij een stuk rode wollen draad uit de naaimand, steekt het door het gaatje en hangt het portretje om zijn nek, onder zijn hemd. Het hout wordt steeds warmer, het plaatje plakt op zijn huid en voelt als een broer.

Moeder en de meisjes fluisteren bij thuiskomst. Ze kijken zorgelijk, ze praten over meneer Java... Ze zijn bij een specialist geweest, om raad te vragen, want meneer Java wil geen dokter meer zien en hij slikt ook geen pillen meer – dat weigert hij. Hij werd er te slaperig van, als hoofd van het gezin moet hij wakker blijven, juist in deze tijd. Het komt allemaal wel goed, zegt hij. 'Ook zonder pil ligt hij de hele dag in zijn nest te rotten,' klagen de meisjes.

Krachtig eten moet meneer Java, dat heeft die dokter aangeraden: dagelijks bouillon, veel ijzer en walnoten: hersenvoedsel. En verse groenten die hem actiever zullen maken. Moeder heeft een tas gezondheid ingeslagen, ze trekt zich meteen terug in de keuken. Als de meisjes zich niet meer vertonen, komt de jongen binnengeslopen en kruipt tegen haar aan, dicht bij haar oor: 'Mag ik de noten kraken?'

Moeder wast het zand uit de spinazie. 'Je laat me schrikken.'

'Ik wil graag helpen,' zegt hij poeslief.

'Alsjeblieft niet, het is al zo'n knoeiboel.'

'Ik kraak ze op een oude krant.'

'Je staat in mijn licht.'

'Ik zal ze netjes in twee helften breken.'

'Zeker om de andere helft te pikken.'

Zo gaat het altijd. 'Ik weet een geheim,' zegt hij om haar op andere gedachten te brengen.

'Ga de meisjes vervelen.'

'Alleen u mag het weten.'

'Wat is er dan?'

'Niks.'

Ze slaat een natte arm om de jongen heen. 'Kom, mij kan je toch vertrouwen?' (Het werkt, het werkt!) Ze droogt haar handen aan een theedoek en veegt gelijk de achterkant van zijn oren schoon. Zoveel tederheid is hij niet gewend.

'Nee, het is veel te geheim.'

Ze gaat op de keukenstoel zitten en tikt op haar knie. Hij kruipt op haar schoot en trekt de rode draad onder zijn hemd een stukje naar buiten...

'Wat doe je raar!' (Ze ziet het niet... Ze ziet nooit iets.)
Moeder duwt hem van haar schoot.

Meneer Java blijft in bed en toch zit hij aan tafel: hij zit in
de krassen op het tafelzeil, in de vlekken op het behang, in
de sporen onder zijn stoel – stille bewijzen van zijn drift.
Moeder en de meisjes verdelen somber de spinazienotenpannenkoek, de jongen speelt met de rode draad om zijn
nek... maar hun hoofd staat niet naar zijn fantasieën. Ze
maken een bord klaar voor meneer Java. Hij wil geen eten,
schreeuwt hij van achter zijn slaapkamerdeur, hij is bang
dat moeder er weer een pil doorheen prakt. Hij wil alleen
een glas helder water. Als niemand op zijn roep reageert,
begint hij te gillen: 'Water! Water!'
'Hij moet het zelf pakken,' zegt eerstezus.
'We mogen er niet in meegaan,' zegt moeder, 'hij mag
niet bedlegerig worden.'
En in koor: 'We moeten streng zijn van de dokter.'
Als de jongen toch dreigt op te staan om water te gaan
brengen, wordt hij door twee meisjeshanden ruw in zijn
stoel teruggeduwd. Een scheut bouillon schiet over tafel.
Een stuk spinazienotenpannenkoek glijdt uit. Een vork
prikt in een arm.
'Rotjoch.'
'Rotgriet.'
Ruzie.
Of ze nu praten of zwijgen, de laatste weken breekt er altijd ruzie uit aan tafel. Het lukt niet meer in pais en vree te
eten, ook zonder meneer Java niet. Vóór het koken kunnen de jongen en de meisjes heel mooi samen blokfluit
spelen en onder de afwas zingen ze perfect vierstemmig,
maar aan tafel slaan ze erop los. Ze zouden wel anders willen maar het is groter dan zijzelf. 'Jullie zijn in de war,'
zegt moeder, 'de hele natuur is in de war.'

De jongen poetst zijn tanden in de badkamer. Meneer Java komt op het geluid af en schuifelt de badkamer binnen, hij steunt op de frêle schouders van de jongen en ze kijken elkaar in de spiegel aan. De jongen vult zijn waterglas. 'Ga je nu al slapen?' vraagt meneer Java, hij wil zo graag naar buiten, de frisse lucht in: doktersvoorschrift. Of hij meegaat? Het is geen bevel, maar een voorzichtige vraag. Meneer Java kijkt zo... bang. Bang? Nee, meneer Java is nooit bang.

Zullen ze even langs de paarden gaan? De jongen schiet een broek en een trui aan over zijn pyjama, samen stappen ze de avond in... tot de staldeur, verder niet. Helder en zwoel is het buiten, de zaklamp blijft in de zak. Meneer Java aait het nekhaar van de jongen – zo zacht kan zijn hand zijn. Een paar stappen verder dwingt diezelfde hand de jongen met een ruk omhoog te kijken. Pupil moet de Grote Beer en de Poolster aanwijzen. De lessen van het vrije veld, in de praktijk! En terwijl ze samen de sterrentijd proberen te bepalen (wat ze geen van beiden ooit lukt), verkent meneer Java's onberekenbare hand de kraag van zijn pyjamajas. Wat voelt die hand? Een draad? Het plaatje wordt naar boven getrokken. De zaklamp schijnt bevend op het portretje: 'Hoe kom je daar aan?'

'In een la gevonden.'

Meneer Java breekt ruw de draad van het plaatje: 'Dat is geen kinderspul.' Een scherf springt af. 'Het is klapperschil, heel teer...'

'Is het van moeder?'

'Ja,' zegt meneer Java. 'Genoeg gevraagd.'

'Het broertje?'

'Dat ben jij.'

'Zijn er in de oorlog heel veel kinderen doodgegaan?'

'Waarom vraag je dat?' Meneer Java neemt de jongen bij de kin en kijkt hem dwingend aan: 'In de kosmos gaat geen enkel leven verloren, alles komt terug in atomen en die worden weer mens of paard of stofjes in de melkweg... Wat het niet haalt, krijgt altijd weer een nieuwe kans.'

De jongen knikt ernstig, probeert het te begrijpen, en vraagt zich af: Ben ik die nieuwe kans?

De sleutel van de stal gaat moeilijk in het slot, de jongen moet bijlichten. Als de deur openzwaait, trekt meneer Java hem mee naar binnen, tegen de afspraak in – zijn arm om zijn hoofd. De jongen probeert zich uit zijn greep te wrikken, maar hij struikelt en wordt aan zijn nek naar de stank gesleept, naar de dampende paardenmest. 'Je moet het overwinnen,' zegt meneer Java, 'doe je best.' De jongen wil het niet horen, hij schudt de woorden van zich af, trapt zich los en rent naar buiten... Meneer Java kijkt hem geschrokken na: nog even en de jongen is hem de baas.

Emmers krassen op steen, korrels razen uit een blik. De jongen wacht hijgend buiten. Hij wast zijn longen met zeelucht... De stallantaarn is aangestoken, meneer Java praat binnen met de paarden... Zo zacht klinkt zijn stem en zo liefdevol zijn de gebaren die de jongen door de kieren raden kan: hij masseert de paarden en de paarden hunkeren naar zijn hand nu het losrijden er de laatste tijd bij is ingeschoten. De jongen ziet het in een waas van tranen: hoe harde handen mensenredders soepel kneden.

Hij denkt: Was ik maar als paard geboren. Zoon zijn is zijn ongeluk, als paard had hij meer bereikt.

98

het spiegelhuis

De spiegelpiloot, nog warm van zijn schuilplaats onder de matras, zegt: 'Waarom slaap je vannacht niet bij mij in het spiegelhuis?' Sinds de jongen zijn jekker aan de geïnundeerden heeft moeten afstaan, zoekt hij de stem van de piloot in zijn schrift. Daar vindt hij steun en raad. Als er gevaar dreigt, schuilen ze samen in het spiegelhuis.

Het spiegelhuis is gegarandeerd bomvrij. In het spiegelhuis gaat nooit iets fout. Wat breekt, valt er vanzelf weer heel. De verf glanst er als een splinternieuw potlood. Slaag verandert er in streling, striemen in zoenen. Ook als er geen onraad dreigt, loopt hij voor het slapen altijd even door de kamers. Om de voorraden te controleren. Er staan voor jaren zeep en pindakaas. Nooit fietsen op de gang, nergens trapperkrassen, geen walm van petroleum. De kasten keurig opgeruimd. De jongen kent er blind de weg. Ook overdag zit hij er graag met de piloot. Ze hebben het prima samen. Soms verlangt hij ernaar de meisjes uit te nodigen. 'Kijk eens,' zou hij tegen ze zeggen, 'dit is ons huis en dit is mijn geheime broer.'

In het gewone huis weet niemand van zijn spiegelleven, daar zien ze alleen zijn buitenkant: een jongen die aan tafel zit en eet en ademt en die 's nachts alleen in bed ligt. Ze hebben geen idee hoe vaak hij met zijn tweeën is.

de genezer

De neus blijft niezen. Wol, schoolkrijt, maar ook de pluizen buiten... de jongen kan er niet tegen, soms niest hij wel een halfuur lang. 'Sinds de atoomproeven is het alleen maar erger geworden,' zegt moeder.

'Dan zou de halve wereld moeten niezen,' zegt meneer Java.

'Ze komen hem zo halen... als het in godsnaam maar helpt.'

Het is zondag, twee uur in de middag, en de jongen wacht in de gang. Een loopneus... dat is alles wat er van hem over is.

'Hij moet het zelf overwinnen.' Meneer Java loopt blootsvoets in zijn kamerjas en heeft zich nog niet geschoren.

'Het zit in de lucht.' Moeder staat gebukt boven een koffer met winterkleren. 'En nu zit het in hem.'

'En Onze-Lieve-Heer mag het eruit halen. God is geen zakdoek.'

'Deze heeft de gave.'

'De gave om de boel op te lichten.'

'Ze zeggen dat het ook helpt als je er niet in gelooft.'

'Hoor je dat.' Meneer Java stoot zijn zoon aan: 'Je moet er niet in geloven! Geloof in jezelf.'

'Kleed je aan,' zegt moeder tegen meneer Java, 'ik wil niet dat je zo wordt gezien.'

'Ik hoef toch niet mee?'

Moeder houdt een duffelse jas op. 'Doe aan,' snauwt ze tegen de neus.

'Zo kwéék je slappelingen,' verzucht meneer Java. Hij sloft weg naar zijn slaapkamer.

'Ze sturen iemand op een motor met zijspan,' zegt moeder verontschuldigend.

De duffel ruikt naar mottenballen. Een nies. De ogen van de jongen schieten vol... de bloemen op moeders blauwe jurk dobberen in een grote vijver. Ze slaat het stof uit de vouwen en zet de jongen een witstoffen vliegeniersmuts op. Zijn hoofd schudt heen en weer als ze aan het riempje sjort; de gesp is verroest en bijt in het vlees onder zijn kin. 'Doe hem af als je voor de gebedsgenezer staat, anders komt de straling niet door.'

Een doffe stem klinkt uit de slaapkamer: 'Waar zijn mijn halfhoge schoenen?'

'Laat hem gelijk naar je vader kijken,' fluistert ze in het toegesnoerde oor, 'hij heeft weer de hele ochtend in het donker gelegen.' Ze steekt een foto in zijn jaszak – meneer Java in uniform, een andere heeft ze niet –, aan de achterkant zit een tientje onder een paperclip. 'De genezer straalt ook foto's door.'

De bel snerpt door de gang. 'Daar zal je ze hebben,' roept moeder. Zware voeten raspen op het ijzeren rooster voor de deur. Een brede schaduw beweegt achter het glasgordijn. Moeder doet open: een man in een legerjas stapt binnen, helm in de hand, hij draagt soldatenlaarzen. Een schorre stem stelt zich voor als Worm, Pikkel Worm. Moeder aarzelt met het noemen van haar eigen voornaam. 'U rijdt toch voor de gebedsgenezer?'

'En het is nog een eer ook, zuster, een buitenkans zelfs, deze man komt maar zelden bij ons in de buurt.'

Moeder kijkt verbaasd naar zijn verweerde gezicht, doet een stap terug, noemt hem meneer.

'Broeder,' verbetert hij, 'en zeg gerust je.' Ze kent hem toch wel? Is ze nieuw dan op het dorp? Iedereen kent Pikkel... Pikkel de jutter. Nooit langs zijn huis gekomen? Heeltemaal uit juthout opgebouwd. In zijn vrije tijd klust hij voor alle broeders en zusters. Hij kijkt goed om zich heen, knikt naar een uit zijn voegen hangende gangdeur. 'Maak ik zo,' zegt Pikkel.

'Eerst deze jongen,' zegt moeder.

'Mag ik u even nader in de ogen kijken?' vraagt meneer Java terwijl hij grijnzend zijn hoofd om de hoek van de slaapkamerdeur steekt. Maar als hij de helm en de legerjas ziet, betrekt zijn gezicht en maakt zijn rechterhand van schrik een klein saluut.

'Ik dien de Here,' zegt Pikkel.

'In soldatenlaarzen?'

'Nooit geen blaren.' Pikkel lacht een rij bruine tanden bloot.

Meneer Java neemt de bezoeker zwijgend op. Pikkel wiebelt van de ene laars op de andere. Meneer Java fatsoeneert zijn kamerjas en loopt stijf op de jutter af. 'En wat kost ons

101

deze wonderbaarlijke genezing?' vraagt hij met uitgestoken hand.

'Ach, christenen onder elkaar...'

'Ja, daarom.'

'De Here zal ons belonen...'

'Voor het zover is,' zegt meneer Java, 'wilt u vast wel een kopje thee of koffie? Het is zo gezet. Ik wil toch even weten wat ons te wachten staat... Even nader kennismaken.'

Pikkel heeft haast, er wachten nog jongens buiten, de genezer is overbezet, hij reist vanavond alweer door.

De jongen kijkt naar de gebutste helm. 'Is dat een moffenhelm?'

'Ik draag wat de zee mij geeft. Nooit niks in een winkel hoeven kopen.' Zijn jas is van de RAF, broek en buis komen van een aangespoelde Canadees – 'Z'n naam stond er nog in. Ik heb zelfs een pilotenzonnebril uit China, door de Here tot aan óns strand drijvende gehouden.'

'Dus de Here heeft u al beloond,' zegt meneer Java. 'Christelijk, heel christelijk... dode soldaten plukken.' Zijn lippen maken boze woorden, maar ze worden niet hard, hij slikt ze weer in en draait zich kwaad om naar zijn slaapkamer. De deur knalt in het slot, de knop trilt na van de klap. De deur gaat weer open... meneer Java's hoofd priemt door een kier. 'Sla het af, laat dat kind toch thuis, sla het af...' Deur dicht. Spiralen piepen, hout versplintert. 'Sorry, sorry,' klinkt het gedempt. Moeder en de jongen kijken stil naar de grond. Ze zien wat ze horen: meneer Java werpt zich op bed, zijn vuisten bewerken het beschot.

'Heb ik... mankeert broe... meneer soms iets?' Pikkel kijkt bezorgd naar moeder.

'En die helm,' vraagt de jongen, 'mag ik hem op?'

Pikkel buigt zich vertrouwelijk naar de jongen toe: 'De man die jij aanstonds gaat zien, is met de helm geboren,' fluistert hij.

'We zijn blij dat u hem mee wilt nemen,' zegt moeder.

'Misschien is het ook iets voor uw man.'

'Ik mankeer niks,' roept meneer Java van achter de deur.

Moeder bindt haar zoon een sjaal om.

'Niet zo strak, ik stik...'

'Mocht het laat worden, hou hem dan goed warm.'

'We zullen niet de enigste wezen,' zegt Pikkel, 'd'r komt veel volk naar de polder.' Hij neemt de jongen bij de hand, moeder loopt mee het tuinpad op. Achter hun rug bonst een vuist op het slaapkamerraam, een ring tikt tegen het glas. Moeder plant haar hand op de vliegeniersmuts: 'Niet omkijken.'

Het raam schuift open: 'Geloof in jezelf, sla het af.'

'Stel je ervoor open,' zegt moeder. Ze rent terug het huis in.

Op de stoep schittert een motor met zijspan. Een oude zilverkleurige Harley Davidson, de zijspan is een omgebouwde badkuip, er steken twee opgeschoren hoofden uit. Pikkel petst met zijn hand tegen een plat achterhoofd: 'Dit is Henkie.' Henkie knort instemmend. De ander heet Rik en heeft een open hazenlip, zijn vingers zitten onder de zilververf. 'Nou ben ik in de storinatie vergeten hoe jij heet...?' Ze kijken hem alle drie verwachtingsvol aan.

De neus snuift, slikt. Achter hem wordt een raam dichtgeschoven, gordijnen roetsjen dicht.

'Je moet je naam aanstonds luid en duidelijk zeggen, anders kan de Here je niet helpen.'

De neus verkent de motorfiets. De benzinetank, het verweerde linnen zeil om de kuip van de zijspan, de verbrande nekken van de jongens, ze stinken... alles stinkt, naar verf, prikkelende, natte zilververf. Buizen, spatborden, velgen, spaken, stuur – geen naad overgeslagen.

'Wat sta je daar... Stap in... meneer Raumuller heeft niet

eeuwig de tijd.' Pikkel slaat met zijn hand op de kuip. Meneer Raumuller kan bloed laten stollen, met zijn hand wonden dichtschroeien en invaliden de kracht in hun benen teruggeven. Na een gebedsbijeenkomst duwen ze eigenhandig hun rolstoel in de sloot. Een groter genezer bestaat er niet. 'Als we te laat komen, kan hij je niet meer bij de Here aandienen,' zegt Pikkel. De zijspan schudt van ongeduld.

Pikkel tilt de jongen op, de knopen van zijn legerjas glijden langs de knopen van de duffel. Hij plant de jongen ruw tussen de benen van Henkie met het platte achterhoofd en de rug van Rik de hazenlip. Als de motor optrekt, vliegt Riks kwijl langs zijn muts. De jongen deinst naar achteren, Henkie stompt de indringer in zijn rug. Billen klemmen tussen dijen, schoenen schuren tegen kuiten, ellebogen stompen elkaar en de zijspan schommelt als een oude schuit. Pikkel maant het drietal stil te zitten, zijn hand maait boven hun hoofden, het wiel van de zijspan raakt van de weg, gras zwiept langs het spatbord. Pikkel knijpt zijn knokkels wit om de slingerende motorfiets weer recht op de weg te brengen. Hij vloekt binnensmonds... 'Vergeef me dakket seg, vergeef me dakket seg.'

Dondervliegjes dansen boven de weg, het achterland is warmer dan de kust, ze spatten op de motorfiets uiteen. De witte vliegeniersmuts zit onder de vlekken. De zijspan plakt. Er zit een gat aan één kant van de kuip, daarboven bobbelen letters door de zilververf heen... een E... een B... EBEN HAEZER & CO. NEW YORK. De neus snuift de letters op, verkent ze met zijn vingers, spelt ze in zijn hoofd... snapt het vreemde teken niet, schrijft de naam blind met één nagel op zijn dij... voelt dan weer, oefent zacht. De letters geven af.

Het is druk op de weg langs het kanaal. Rechts in de berm staan borden met pijlen die schuin omhoogwijzen.

Raumuller. Raumuller staat er in vette rode letters op. Na elk bord slaat de wind hun om de oren. Pikkel wijst naar de naam en steekt zijn duim op. Auto's zoeken parkeerplaatsen schuin op de dijk, een bus zit vast in de modder. Pikkel slingert er behendig aan voorbij. Raumuller. Raumuller... *rauw rauw* raast het in de spaken.

De motorfiets mindert vaart. Flarden muziek slaan over de dijk. De jongens trekken zich aan elkaar op, kijken om zich heen... daar... ja, daarbeneden wapperen twee vlaggen. De motorfiets verlaat het asfalt, neemt een tractorpad en hobbelt een lager gelegen weiland in. De zon kaatst in de buitenspiegels van de geparkeerde auto's, overal lopen mensen met hoeden, zwarte hoeden. Achter een boomgaard, langs een sloot, schittert iets wits. 'Circus,' slist Rik de hazenlip.

'De zegetent,' verbetert Pikkel.

De middagzon kleurt het kanaal diep donkerblauw, en het donkere water verkleurt het gras blauw en ook de broeken van de heilsoldaten, de schorten van de verpleegsters, de petten en de hoedjes met een strik en het borduursel op de kragen, de biezen en de borden met *Jezus redt. Raumuller. Raumuller. Looft den Here al Zijne Heirscharen.* De jongen spelt de blauwe woorden in stilte, voelt of er geen haar onder zijn vliegeniersmuts uit komt, duwt een krul terug.

De zijspan schuurt langs rolstoelen en reuzendriewielers. Een woud van krukken, beugels en wandelstokken verspert hun de weg. Strompelende bochelaars zonder nek, waterhoofden, hinkepoten met de schoenen verkeerd om aan. Het gras is tot blubber geprikt, naast hen loopt een man met een bleek meisje in zijn armen, onder haar knieën hangt de deken slap.

Pikkel staat geen getreuzel toe. Hij parkeert, gooit zijn helm in de zijspan en drijft het drietal naar de tent. Voorbij de rij kreupelen, langs de imbecielen die onder een luid-spreker op de muziek meedeinen. Henkie knort en wie-belt, Pikkel duwt hem voort. Bij de ingang liggen blaadjes met liederen en bijbelteksten. De jongens graaien naar de stapel, maar een luide stem weerhoudt hen: 'Wie ziet ons? Wie kent ons? Wie heelt ons?'

De stem komt uit de zegetent. Een klamme warmte slaat hun tegemoet. De jongen moet niezen, snuit zijn neus in zijn sjaal, propt hem in zijn jaszak, de vliegeniersmuts gaat niet af. Hij denkt: Rik de hazenlip spuugt bloed, Hen-kie heeft een debielenkop... maar jeuk, kan de genezer ook jeuk zien? Als hij langs de schragentafel bij de ingang loopt, trekt hij met zijn rechterbeen.

Een vrouw achter een stapel kartonnetjes lacht hen vriendelijk toe: 'Zeg het, broeder.'

'Drie, zuster.' Pikkel drukt de jongens dicht tegen zich aan.

De zuster neemt drie kartonnetjes van een stapel, er bungelen touwtjes aan. 'Namen?' Ze kan zich nauwelijks verstaanbaar maken. Vooraan bij het podium zingen de mensen al mee. Twee heilsoldaten dragen een tafel op, ze vouwen een lichtblauw kleed uit, prikken plakkaten met de foto van Raumuller langs de randen – priemende ogen, borstelhaar... geen helm. Rik en Henkie zijn roepnamen, die schrijft de zuster niet in. Volledige namen wil ze heb-ben. Rik verlengt zich tot Richard – met een ch die hij uit-spreekt als een g. De zuster is nog niet tevreden: 'Jullie doopnamen.'

'Petrus... Paulus,' zegt Rik.

'Achternaam?'

'... de Pee.'

'Drie in de pan,' zegt Pikkel. Er valt kwijl op het karton. De zuster veegt het met een lach van tafel. Henkie wordt Hendrik Jacob Wokke.

'En jij?' vraagt de zuster aan de jongen, die zijn neus aan zijn mouw afveegt.

Hij aarzelt... denkt na. De balpen van de zuster tikt op het tafelblad, ze speelt met het knopje, haar glimlach verzuurt zienderogen. Een zonnestraal valt door de kieren van de tent. Het zilveren kruis op haar linkerborst licht op. Het kruis hijgt. De jongen tast in zijn zakken en diept de foto van meneer Java op. Hij is verkreukeld, het tientje zit niet meer aan de paperclip.

'Heeft hij zijn tong verloren?' vraagt de zuster.

De jongen buigt naar de grond: 'Nee, mijn tientje.'

'Je moet luid en duidelijk zeggen hoe je heet, anders kan meneer Raumuller je niet bij de Here voordragen,' zegt Pikkel.

'Wat is een doopnaam?'

'Hoor je dat, zuster? Horen jullie dat, jongens? Weet niet eens wat z'n doopnaam is. Zukke onnozele schapen als je meekrijgt... Kom op,' Pikkel trekt aan zijn duffel, 'je bent toch zekers gedoopt, anders zijn je zonden niet weggewassen... Toe, wat is je zondagse naam?'

De jongen telt de dagen van de week. Vrijdag is een naam, een negernaam, en zondag is afstofdag, beschuitjesdag... maar nooit hoorde hij thuis een zondagse naam. Pikkel schudt de jongen door elkaar. 'Zonder doopnaam kan je niet beter worden.'

De jongen knikt met elk woord van Pikkel mee. De Here kan niet zomaar zijn wonderen over de wereld strooien, Hij moet weten wie Hij voor zich krijgt: naam en adres... de hele zwik, net als bij de post. Een doopnaam is een zegen en zegel van God... De kinderbijbel gonst door zijn hoofd... het platenboek waar moeder iedere Pasen en Kerstmis uit voorleest, zo zacht dat ze op het laatst niet meer te verstaan is. De doop is nooit ter sprake gekomen, misschien heeft hij niet opgelet, hij houdt niet van de kinderbijbel, ook al kan Jezus nog zo knap toveren. Als moeder te lang uit de bijbel voorleest, balt meneer Java altijd zijn vuisten tot hij het bloed uit zijn vingers knijpt.

'Wat mankeer je?' vraagt Pikkel aan de jongen.

'Allergie,' zegt hij angstig. Hij laat hem de foto van meneer Java zien.

'Wat moet ik daarmee?'

'Hij moet ook doorgestraald.'

De foto zit onder de verf, er loopt een zilveren streep over meneer Java's uniform. De rij achter hen duwt zich verder naar voren, het blad van de schragentafel schuift mee. Pikkel grist de foto uit de jongen zijn handen, kijkt naar meneer Java in uniform, gromt naar de snotneus onder hem: 'Gaat je vader weleens naar de kerk?'

De jongen haalt zijn schouders op.

'Jullie zijn thuis toch wel in de Here?'

'Mijn vader haat de Here.'

Verontwaardiging achter Pikkels rug. De hazenlip blaast een kwijlbel, Henkie houdt op met knorren.

'En daar verspil je je benzinegeld aan,' zegt Pikkel gelaten, 'om een stel heidenen te dienen.' Hij pakt de jongen bij beide schouders en duwt hem tegen de schragentafel: 'Schrijf hem maar in voor de teil,' zegt hij tegen de zuster. 'Zonder doop geen hoop.'

De jongen ruikt beschaamd aan zijn zilveren vingers. Het lijkt wel alsof alle namen in zijn hoofd zijn overgeschilderd, geen letter komt boven, niks heet meer zoals het heten moet... Hij veegt zijn handen aan zijn broek, langs zijn dij. 'Eben,' aarzelt hij, 'mijn doopnaam is Eben Ra... hazer.'

'Wat?' vraagt Pikkel. 'Eben...? Maar dat is een moffennaam.'

'Mijn vader heeft voor de geallieerden gevochten.'

'Echt waar...? En toen dacht-ie, hupsakee... die dopen we

Eben... Eben.' Pikkel kijkt hem spottend aan en tikt tegen zijn helm. 'Onze genezer is Duits, er zijn ook goede Duitsers. Hij zal die naam wel kennen... Eben Razer, Eben Razer... ooit eerder zo'n rare naam gehoord, zuster? Zelfs geen schip dat zo heet, en ik heb toch heel wat namen op het strand zien aanspoelen. Eb... en... Razer. Het klinkt als een naam van de zee.'

De jongen spelt mee. 'Eben Razer,' herhaalt hij zonder hapering. Hij bevalt hem, deze nieuwe, in ijzer gegoten naam. En dat terwijl hij helemaal niet liegen wou.

'Meneer Raumuller zal je bij de Here aandienen... zekers voor het onzekers... alleen wie bij Hem ontvangen is telt,' zegt Pikkel plechtig.

De zuster vraagt nog om een geboortedatum, maar Eben Razer laat geen woord meer los. Pikkel trekt hem mee naar het podium, Rik en Henkie worden door een andere zuster overgenomen. Eben Razer schuurt langs rijen zieken – in verband, rolstoel, of schuin op een sjoelbak op wielen, af en aan gesjouwd door heilsoldaten –, hij schramt zich aan een been in een ijzeren beugel en laat zich met een van pijn vertrokken gezicht op het podium tillen. 'Daar, in die hoek en wachten tot je wordt gehaald,' bijt Pikkel hem toe.

Eben Razer hinkt naar de plek.

'Wie ziet ons, wie kent ons, wie heelt ons?' zalft een stem uit een luidspreker, die door blaasmuziek wordt weggespeeld. Er lopen trompetters het podium op, voeten en wangen in de maat. Mensen dringen naar voren. Rik en Henkie staan helemaal vooraan, ze kijken, ze wijzen... ze stoten elkaar aan, ze hebben het over hem, de heiden uit de zijspan... Zusters duwen de laatste rolstoelen tot aan de trap voor het podium. Twee heilsoldaten brengen in allerijl een teil met water op. Geroezemoes.

Eben Razer schuifelt zo ver mogelijk naar achteren, tot

hij een paal in zijn rug voelt. Hij kijkt omhoog, weg van de mensen beneden hem, zoekend naar het oog dat alles ziet. Zijn blik volgt de touwen, de naden in het tentzeil, de vliegeniersmuts snijdt in zijn keel... tot het hem duizelt en hij houvast moet zoeken bij de paal. Een lauwe wind trekt langs zijn wangen... het is een hand, een hand die boven zijn gezicht zweeft, een hand in een witte jurk. Eben Razer duikt weg. Maar twee zwarte ogen drijven hem weer tegen de paal, ze staren hem aan, ogen onder zwarte borstelharen. De mensen klappen, de hand drukt zijn hoofd naar beneden... de mensen klappen voor hem. Eben Razer gloeit. Zijn hele lichaam tintelt... De hand laat Eben Razer diep buigen... Hij buigt en groeit tegelijk. Hoe moet hij kijken? Als een piloot na een succesvolle missie? Als een generaal die een parade afneemt? Hij kijkt als op een krantenfoto. Hij knipt zichzelf al uit.

Verdoofd laat hij zich door twee heilsoldaten naar de blauw gedekte tafel leiden. De tent klapt niet meer, mensen dringen naar voren, rumoeren. De man in de witte jurk steekt één hand omhoog... de tent valt stil. Eben Razer beeft... Dit is dus Raumuller: de genezer in eigen persoon.

Raumuller gaat voor in gebed. Hij dankt de Here dat hij in een Hollandse polder mag prediken. Eben Razer staart naar de zomen van de pratende jurk. Zomen deinen over de planken, zomen lopen naar de trap... Invaliden en begeleiders stuwen om hem heen. Namen kraken door de luidsprekers, doopnamen van zieken. Raumuller raakt hun voorhoofd aan, sommigen vallen meteen in slaap, anderen beginnen te huilen, en één... *ja, zie, zie*, de tent juicht... één vrouw grijpt zich aan haar begeleider vast, ze probeert uit haar rolstoel op te staan, haar voeten aarzelen, ze wankelt... ze... ja, ze loopt aan de hand van haar genezer. Het gejuich zwiept tegen het tentdoek. 'Zien is geloooven,' schalt Raumuller in de microfoon. 'Jaaaa,' roepen de aanwezigen, 'ja, zo is het... aaamen.' Hij slaat zijn arm om de schouders van de vrouw en looft Jezus die over het water liep en de zieken die nu in de polder staan, op land dat ooit zee was. 'Is dat niet wunderbaar!'

'Jaaaa!'

Het paradijs kende geen zee. Zeeën ontstonden na de zondvloed... 'De zondvloed, de zondvloed,' echoot het door de rijen. De Hollanders hebben land uit de zee teruggewonnen. Zo schenkt de Here weer vaste grond onder de voeten. Het geloof is als een polder en God een gemaal. Van het natte naar het droge. Halleluja!

Eben Razer wordt naar de teil geduwd, meneer Java's foto tegen zich aan geklemd. Hij houdt de foto op... maar meneer Raumuller praat met zijn ogen dicht, zegent, doopt met zijn ogen dicht... en Eben Razer laat het zich allemaal gebeuren: weer de warme hand, maar nu op zijn voorhoofd, het tromgeroffel. Op en neer gaat hij, in het water uit het water. Hij slikt, de rand van de teil snijdt in zijn hals... klein en druipend hoort hij voor het eerst van zijn leven dat hij niet uit vlees en botten bestaat en uit water, vijfennegentig procent water zoals meneer Java hem heeft geleerd, maar uit stof... stof waar hij zo allergisch voor is!

De heilsoldaten laten hem los, Eben Razer rent het podium af. Hij hinkt niet meer, hij slikt zelfs een nies in als Pikkel hem in de panden van zijn Canadese legerjas droogwrijft. Terug door de polder, in de badkuip op wielen, houdt hij meneer Java's foto op in de wind. Van het natte naar het droge.

'Dat was eens maar nooit weer,' zegt Pikkel tegen moeder als hij Eben bij de deur aflevert: Wat een onnozel schaap heeft hij meegekregen, afgewend van de Here, verdwaald en in zonden levend, een kind van schandemakers... en de Here dit en de Here dat... maar gelukkig is hij nu gered, hij wel... dankzij de genezer en dankzij Pikkel, een jutter die uit wrakhout en drijfvuil tempels kan bouwen... De Here zij geloofd!

De jongen rilt in zijn duffel.

'Ach, er is altijd wat met dat joch,' zegt moeder.

Meneer Java komt bleek en nog steeds ongeschoren uit de slaapkamer. 'En?' vraagt hij met een gemeen lachje.

Een natte nies schalt door de gang.

Meneer Java haalt een zakdoek uit zijn kamerjas... wit gesteven, met militaire vouw gestreken. 'Egyptisch linnen,' zegt hij, 'voor jou.'

Pikkel schudt zijn hoofd en maakt rechtsomkeert. Moeder ontdoet haar zoon van zijn vliegeniersmuts. 'Voelde je dan helemaal niks?' Ze masseert de rode striemen op zijn wangen weg, knijpt bloed uit het wondje onder zijn kin. 'Je hebt toch wel de foto afgegeven?'

'Ja,' zegt de jongen schor, 'ik ben ontvangen.'

De jongen ligt op bed, de zakdoek over zijn gezicht uitgevouwen... Hij snuift de wasgeur op, kijkt omhoog door het linnen, verkent geblinddoekt de contouren van de kamer. Hij verbeeldt zich een zieke in verband te zijn, een soldaat in een lazaret. Ongeschoren, bleek... Ziekenbroeders lopen langs, houden stil, wenken zusters. Buiten speelt iemand trompet. De foto van meneer Java rust in zijn handen... soldaat, hoger kwam hij nooit, maar nu prijkt er een mooie zilveren streep op zijn uniform. Vandaag zal hij hem nog hoger bevorderen, hemelhoog. Hij dient hem aan bij de Here. Het bad wacht. Twee kranen open, warm en koud tegelijk, onder het vollopen bidt en smeekt hij dat meneer Java uit het donker op zal staan, geen borden met eten meer tegen het behang gooit. Zonder doop geen hoop. De foto gaat te water. Meneer Java drijft... zijn ogen ten hemel, draaiend tot boven de stop, waar het water stilletjes weggorgelt... daar krult de foto... en zinkt hij naar de bodem. De jongen legt het portret op de zakdoek te drogen, een zwart straaltje trekt in het linnen. Het uniform is afgespoeld. De zilveren medaille blijft.

het rapport

Meneer Java is uit het donker opgestaan. Het laatste pillengif is eruit geslapen en hij voelt zich stukken beter. Geheel ontspannen, een kwestie van kopkracht – zegt hij. De vuisten in zijn zakken spreken andere taal: de naden in zijn broek staan op barsten.

Het is rapportentijd.

De meisjes hebben hun rapport al binnen, hun schooltassen liggen werkeloos in een hoek en moeder heeft de cijfers met instemming bekeken. Meneer Java krijgt niks te zien, hij vraagt er ook niet naar, hij wacht af tot zíj ermee komen. Hij wacht met ongeduld op een ander rapport: de glanzende cijferlijst van zijn pupil. Uiteindelijk tonen de meisjes zich de wijste (omdat moeder erop staat) en gaan ze quasi-braaf voor hem in de rij staan, rapportboekje in de hand – en haren recht overeind zodra hij begint te zeuren over een zesje dat een zeven moet worden en een zeven die nog hoger kan. Het beste is hem niet goed genoeg. Na een afgeschudde schouderklop bijt middelzus moeder toe: 'Wat verbeeldt die vent zich... We hebben meer scholing dan hij ooit had.'

Ja, rapportentijd is een ontspannen tijd.

'En waar blijft het jouwe?' vraagt moeder.

'Het komt eraan,' zegt de jongen.

Meneer Java vraagt niets. Hij wacht en spant zijn vuisten...

'Het had er allang moeten zijn,' zegt moeder.

Nee, moeder hoefde niet te bellen. De handtekening van het hoofd der school moest er nog onder. De juf was ziek.

'Ik hoop dat je rapport beter is dan je smoes.'

De jongen ziet bleek de laatste dagen. Hij heeft meer tijd nodig om een goed excuus voor zijn zittenblijven te verzinnen. Dit is het eerste rapport dat hij meneer Java laat zien, het vorige rapport heeft hij verscheurd en daarna school en familie van alles wijsgemaakt: nog geen cijferlijst want pas later in het jaar begonnen, moeder naar ondergelopen familie afgereisd, meneer Java ernstig ziek, rapport gestolen... De juf wilde al maanden zijn ouders spreken, gaf brieven mee, stuurde ze op, maar schoolpost hield hij achter of wist hij thuis te onderscheppen. Zo vlak voor de grote vakantie kan hij er toch echt niet onderuit, er moet en zal een rapport op tafel komen. Tenzij er iets vreselijks gebeurt... Een ongeluk? Een zieke wordt alles vergeven. Het voorhoofd met een scheermes bewerken, een bloederig verband om, of een verstikkende allergie... allemaal toneel dat hij al eerder heeft opgevoerd; ditmaal moet hij iets beters verzinnen.

Het is niet goed gegaan op school. Meneer Java's veelbelovende pupil loopt achter in plaats van voor. Zijn handschrift werd de eerste dag al afgekeurd. 'Schuin? Wie heeft je dat geleerd?' vroeg de juf. 'In dit land schrijven wij rechtop.' Hij heeft het meneer Java nooit durven vertellen, voor hem bleef hij gewoon schuin schrijven. Veel van de dingen die hij thuis heeft geleerd – met plaatjes en overtreksel onderbouwd – werden in de klas met hoongelach begroet. Sterrentijd? Overzeese gebiedsdelen, rubbertap, tabakscultuur, pepertuinen? Ze haalden hun schouders erover op. Het winnen van medailles, de wonderen van fakirs, het gemak van prauwen, pensioen en couponknippers, het radionieuws, de ernstige situatie in Korea, IJzeren Gordijn, A-bom, H-bom, zijn rijtjes moeilijke woorden (waaronder een paar Engelse!) – die kinderen wisten nergens van, zelfs 'geïnundeerden' zei ze niks. 'Verbeeld je maar niks!' En dat dure potlood kon terug in zijn tas. Pen en inktlap was het voorschrift. 'Je bent toch geen timmerman?' Hij moest van voren af aan beginnen, helemaal opnieuw, ook met rekenen (wat hij allang kon). Sindsdien schrijft hij steeds meer achterstevoren en draait hij ook alle getallen om. Schoolschrift en huisschrift, potlood en pen... het zijn gescheiden werelden geworden en hij doet zijn best ze uit elkaar te houden.

Hoe legt hij zijn zittenblijven aan meneer Java uit? Achter diens rug heeft hij lef genoeg. In samenspraak met de spiegelpiloot kent hij zelfs geen angst, waarom verschrompelt hij dan als hij voor hem staat? Had hij maar iets van de brutaliteit van de meisjes. Zo hard en sterk als die kunnen zijn. Als de jongen zich dat bedenkt, neemt zijn onmacht nog meer toe.

Misschien moet hij hem een brief schrijven. Een zoals meneer Java ze zelf schrijft, de brief die alles goed zal maken. Hij klinkt al hardop in zijn hoofd, meesterlijke zinnen. Een eerlijke brief met een rechte kantlijn. Hij zal zijn karakter tonen. Een brief waarin hij beterschap belooft. De laatste nieuwe Koh-i-noor wordt geslepen. Zijn wapen in nood.

De volgende dag na school, terwijl meneer Java nog in de stal is en moeder in de keuken veldsla staat te wassen, legt de jongen zijn rapport op een hoekje van het aanrecht. Terloops, zijn potlood steekt nog achter zijn oor. Het rapport heeft een halve week onder zijn matras gelegen, naast het schrift met de spiegelpiloot. De spiralen staan erin afgedrukt. Grote ronde nullen.

'Eindelijk,' zegt moeder. 'Gefeliciteerd.'

De jongen zwijgt beschaamd.

Ze droogt snel haar handen aan haar schort en slaat het open... ze schudt bij elk vak haar hoofd. Er valt een druppel uit het rapport. 'Hoe kan dat! Een nul voor taal?'

'Dat is de o van onvoldoende.'

'En je kan zo goed schrijven?'

'Dat kan ik ook.' Hij geeft haar de brief.

'Wat moet ik daarmee?'

'Van mij, voor meneer Java, lees maar...'

Moeder vouwt hem open: 'Wat een hanenpoten... noem je dat letters... dat kan ik niet lezen hoor.' Ze geeft de brief ongelezen terug. En terwijl ze zuur de restjes veldsla uit de gootsteen vist: 'We hadden met je moeten wachten. Ik was te zwak, je vader was te zwak... dat is geen gezond begin geweest... je ziet het resultaat.'

Het wachten is op meneer Java, die langer wegblijft dan gewoonlijk: de reddingspaarden krijgen extra zorg na zijn gekwakkel. De jongen staat voor het raam op de uitkijk. Het rapport broeit in zijn handen, de brief zit in een envelop ertussen gestoken. Meneer Java kijkt hem vol verwachting aan als hij het pad op loopt... maar de jongen durft zijn rapport niet omhoog te houden. Hij hoort zijn schoenen op de gang. Zal moeder het hem als eerste vertellen...? Ze rent naar de wc en rammelt met het haakje.

Meneer Java stapt vermoeid de kamer in en ziet wat de jongen in zijn handen heeft. 'Zo, kom er maar mee voor de draad.' Stro van de broek geslagen, stoel dicht bij het raam... hij gaat er goed voor zitten... opent het rapport... kijkt, leest, zucht... Het rapport valt op zijn schoot. Meneer Java trekt wit weg, slaat zijn handen voor zijn gezicht. De brief glijdt op de grond. De jongen raapt hem op, wappert ermee voor meneer Java's ogen, tikt ermee tegen zijn handen, hij wil hem iets in zijn oor fluisteren, buigt voorover, maar schrikt... de stalgeur houdt hem op afstand... Nee, het zijn de paarden niet. Meneer Java deinst terug. Het is het potlood achter zijn oor: de jongen heeft hem in zijn wang geprikt... 'Zal ik hem voorlezen?' fluistert hij.

'Wat?' vraagt meneer Java verdoofd.

'De brief.'

'Die juffrouw is gek!'

'Hier.' De jongen legt de envelop in zijn schoot.

Meneer Java maakt hem open en leest: ... Mijnheer... Hierbij beloof ik u... 'Vroeger had je nog mijn handschrift,' zegt meneer Java dof.

Verraad. De jongen heeft per ongeluk rechtop geschreven. Langzaam ontgroeit de pupil zijn meester.

de krantenfoto

Er staat een jongen voor in de rij, een spleetoog met twee lege kommen in zijn handen, hij draagt een blauwe korte jas. Achter die jongen kijken honderden andere jongens, allemaal in eenzelfde jas, vol verwachting naar bakken dampende rijst. Het zijn krijgsgevangen communisten, jong ingelijfd en door oorlog opgejaagd... Hun gezichten zitten onder het stof. Halverwege de rij staat een jongen met een gestreepte matras op zijn rug, hoofd naar de grond, gebogen onder zijn last. De hemel is grijzer dan de grond. *Communisten op de vlucht,* schrijft de krant.

'Nooit je matras meenemen,' zegt meneer Java. 'Licht gaan ja, je moet licht gaan. Een sprei is beter.'

zomer

Een lange zomer is aangebroken. Een zomer waarin de familie haar best doet te vergeten. Een vrolijk vroeger waarin alles is zoals het ooit geweest moet zijn en blijven moest – warm, heel warm en lui –, zonder bericht van de conferentietafels, zonder de sombere stem van de nieuwslezers. De strijdende partijen waren aan vakantie toe... de wapens zwegen. Meneer Java wordt door moeder fluitend voor het raam betrapt. Hij schaamt zich voor zijn eigen opgewektheid, maar voor haar is het een signaal: 'Naar het strand, haal de verkleedsprei uit de kast!'

De verkleedsprei hoort bij de familie. Ze is een tabernakel van zuiverheid, een giechelige schuilplek tegen het onfatsoen. Voor vertrek vouwen de meisjes haar uit in de gang om er een grote knapzak van te maken. De zonnebrand gaat erin, boeken, boterhammen met zandzuigend beleg, de bal. Vestjes voor in de wind. Schop, emmer, de autobusbinnenband. Een knoop erin en de sprei gaat boven op de opgevouwen strandstoel waar moeder haar vingers tussen zal klemmen. Meneer Java en de jongen zijn de dragers. Zij nemen alle zorgen uit handen.

De familie gaat gekleed naar het strand, zonnig maar bedekt, niet zoals de mensen uit de stad die in badkleding de trein uit stappen. Of als de Duitsers, in badjas. Juist in de hitte toon je beheersing: meneer Java een das en moeder een hoed. Dat waren tropenmanieren.

Pas op het strand – het stille – begint het grote verkleden. Moeder gaat als eerste achter de sprei, meneer Java staat op zijn tenen en houdt de punten met beide handen hoog, hoofd afgewend naar onzichtbare schepen. De meisjes zijn alvast gaan zitten en blazen het zand uit hun boeken, de jongen begint aan zijn kuil, met zijn ingesmeerde rug naar de verkleedpartij. Zo nu en dan kijkt hij al gravend om, hoofd tussen zijn benen: gelukkig, geen stukje naakt te zien. Dan mogen de meisjes achter de sprei en neemt moeder die van meneer Java over. Zijn beide armen slapen. Aan verkleden doet hij trouwens niet, vreemden mogen zijn littekens niet zien: 'Anders denken ze dat ik een mof ben.'

Moeder kijkt met afgunst naar haar dochters – mooi bruin dun. Ze pakt hun kleren aan... een beha valt in het zand. Moeder bukt, de sprei bukt mee. De jongen wijst naar een bloot stuk borst. Hij joelt. Meisjesgegil. En dan, alsof een ander in zijn lippen kruipt, tuit hij zijn mond en fluit – hoog en laag en hard, zoals ordinaire jongens doen. Meneer Java stormt op hem af en geeft hem een draai om zijn oren. Zijn hand doet het nog best.

De meisjes zetten hun duimen onder de schouderbandjes van hun badpak, trekken het smok aan de voorkant recht en lopen op hem af. Sprei tussen hen in. Hij wordt een stier: stoot ze tegemoet. Maar ze grijpen hem, knevelen zijn armen achter zijn rug en drukken hem op de sprei. Ieder een punt en jonassen maar – hij glijdt er bijna uit. Moeder schiet te hulp, vier paar handen trekken de sprei nu strak. De sprei wordt trampoline, een ledenpop gaat op en neer, op en neer, hoog en diep. Hij ligt op zijn rug en zweeft. Hij botst tegen hun buiken en borsten – een muur van vlees, niet door te komen. Zij gooien hem hoger. Hij rolt naar ze toe. Van de een naar de ander. Stikt van de lach.

'Hij hinnikt, hij hinnikt,' roepen de meisjes om beurten.

gemompel

Meneer Java komt terug uit het hotel, met zwarte handen van het vele kranten lezen. Zijn gezicht staat even zwart... Hij groet niemand, loopt meteen naar zijn plaats voor het raam. De jongen zit aan tafel te werken en hoort hem mompelen: 'Aspirientjes, veiligheidsspelden, zandzakken, spiritusbrander, brandspiritus, wc-papier, kaarsen, rubberhandschoenen, vlooienpoeder, vademecum, verband, jodium, scheepsbeschuit, zeep, witte kleren... strepen en bloemetjes branden patronen in je vel. Niet vergeten: moeder en de meisjes zeggen dat de mensen met witte kleren in Hiroshima het minst verbrandden... Wit, veilig tropenwit.'

De jongen kijkt vragend naar de zwarte schaduw.

'De Russen hebben hem nu ook,' zegt meneer Java. 'We zijn er klaar voor, kom maar op met die waterstofbom.'

De onbezorgde zomer is voorbij.

vreemd

De stormen boetseren de duinen en de horizon achter het huis waait met de winden mee. Platte kopjes krijgen na een harde noordwester ineens scherpe kuiven en vertrouwde toppen vlakken af. De helm heeft zijn houvast verloren. Het zand wervelt door de straten, de pleinen zijn ondergestoven. Ook binnenshuis zoekt het zand een weg. De korrels knarsen op de gang, schuren tussen de lakens en als de meisjes 's morgens hun haar borstelen, hagelt het in de wasbak. Luiken klapperen dag en nacht. De kachel kan het niet aan en de plee trekt niet maar blaast uit de pot. De natuur is werkelijk in de war.

In de slaapkamer staan bloemen op de ramen. De jongen ligt onder vijf dekens in bed. Hij is zojuist van zijn eigen stem wakker geworden en hoewel hij niet weet wat hij gezegd heeft, weet hij heel goed dat hij in zijn slaap over zijn geheim moet hebben gepraat. Hij hoopt dat niemand in huis iets heeft gehoord. Slapen ze nog? Uit de slaapkamer van de meisjes komt geen geluid.

Straks, na schooltijd, zal hij zien of zijn geheim er nog is. Misschien is het losgetrokken, of uit eigen kracht weggevaren... Met dit weer bleef niets zoals het was. Vanmiddag klimt hij het gestrande schip weer op... en dan zal er iets gebeuren. Hij voelt het. Hij moet zijn geheim met iemand delen. Het is te zwaar voor hem alleen.

Een winterstorm heeft een libertyschip op het strand geworpen, dat weet het hele land; er kwam geen reddingsboot aan te pas, het lag er ineens, op een ochtend, een maand geleden, aan de voet van het duin voor het hotel, vlak bij het zeeaquarium. Een roestbak met een Griekse bemanning, varend onder Panamese vlag. De ene sleepbootmaatschappij na de andere heeft geprobeerd het schip vlot te trekken, belachelijk kleine scheepjes met vuistdikke trossen, maar er was geen beweging in te krijgen. Nieuwe stormen duwden het alleen maar verder het strand op en daarna was een zandzuiger aangesleept om een diepe geul te maken. Zonder resultaat...

Ondertussen wrijft de middenstand zich in de handen. Het dorp staat regelmatig in de krant en dagjesmensen rijden af en aan. De haringman heeft zijn kar uit de winterslaap gehaald en is erwtensoep gaan verkopen – op de tweede dag al, nog voordat iemand eraan had gedacht. Een patates-fritesbakker uit Amsterdam heeft een kraam opgezet. Niet eerder rook het zo lekker op de boulevard. De meeuwen warmen zich boven de damp. Niemand thuis had ooit patates frites in een zakje gezien. Na een week waren er al ansichtkaarten van de Panamees te koop. Het hotel doet zomerse zaken. Het hele dorp is in beroering.

De jongen ook. Sinds de schipbreuk gaat hij elke dag naar de vorderingen kijken, direct na school, krom tegen de ijzige storm in, hand in hand met meneer Java, want er valt heel wat op te steken. De wandelstok doet weer dienst als tekenstift en het strand is schoolbord... Meneer Java verklaart de werking van een zandzuiger aan wie het maar horen wil. Ja, hij heeft heel wat waterwerken van nabij gezien, in de tropen werd wat afgebaggerd in zijn tijd en hij weet uit ervaring hoe grillig de zee kan zijn. Je moet hierop letten en daarop en het moet meer uit de breedte dan uit de diepte... en vooral: je moet de stromen kennen. Maar kenden deze baggeraars ónze muien en kolken wel? – *Onze*, de dagjesmensen viel de trots in de klemtoon niet op, de jongen wel... Meneer Java deed zijn best om bij het dorp te horen.

Niet iedereen deelt in het geluk en de trots. De bemanning van het gestrande schip staat al weken werkeloos toe te kijken. Alle Grieken zijn ontslagen. Schipper te voet, zonder een cent gage. De gemeente heeft ze tijdelijk in het Zeehuis ondergebracht en nu liepen er 's avonds kleine donkere mannen door het dorp, met zwarte haren en gebreide klotjes en alle deuren bleven dicht voor die glurende ogen.

Meneer Java wilde ze binnenvragen. Een libertyschip, daar moest hij meer van weten, die hadden Europa in de oorlog bevoorraad. En bovendien onder Panamese vlag! Vrijbuiters voor wie de wereld geen grenzen kende. Wie het meest betaalde werd bediend. Er hing geen IJzeren Gordijn in zee: Rusland, Korea, zij waren er geweest, zij kenden de vluchtroutes, de veilige havens, de emigratielanden, de bewegingen van de oorlogsvloten... Ze hadden Hiroshima met eigen ogen gezien. Ook voor de jongen was het belangrijk: de aardrijkskunde liep langs de deur. Van vreemdelingen kon je leren. 'En zou je niet weer de geur van een schip in huis willen halen?' vroeg hij om moeder lekker te maken. Ja, aan varen had ze goede herinneringen, maar wat kon die Java vreselijk overdrijven. Ze had hem heus wel die bootslui aan zien spreken, buiten, met handen en voeten, want ze verstonden alleen maar Grieks, en hoe stug deden ze toen niet? Na een kop thee binnen brandden ze heus niet los en wat wisten ze van politiek... Je kon zien, het waren arme sloebers.

Toch had ook zij halfverborgen achter het keukengordijn naar het trieste troepje staan kijken en een blik abrikozen uit de kast gehaald en dromerig over het etiket gewreven. 'Daar houden Grieken zo van,' zei ze. Maar de meisjes wilden geen gedoe. Sinds meneer Java zijn medicijnen weigerde, was er al onrust genoeg in huis. Niet storen! Ze bereidden zich voor op hun repetitieweek.

'Dit is de kans om jullie Grieks te oefenen,' zei meneer Java.

Eerstezus lachte hem uit: 'Die mannen spreken Nieuw-Grieks.' Zij kon trouwens alleen de letters lezen, van de nonnen in het kamp geleerd. Nee, de meisjes vonden ze eng.

De jongen bekommert zich niet om het lot van de bemanning, hij denkt alleen maar aan zijn geheim. Nog even en hij zal het libertyschip beklimmen, langs de hoge houten trap die de dorpstimmerman voor de loodsen heeft gemaakt. Hij is een van de zes jongens die van de postbode een Griekse krant aan boord mag bezorgen, dagelijks toegestuurd door de ambassade. Alle jongens van het dorp hebben erom geloot; hij trok de woensdag, als jongste. Dit wordt de derde keer dat hij het schip op mag. Helemaal alleen, twintig meter schuin omhoog, minstens, met knikkende knieën. De eerste keer was het meer moeten dan willen, maar van halverwege terugkeren kon geen sprake zijn: onder aan de trap brandden de ogen van meneer Java en die sloegen hem de treden op. De tweede keer was hij al minder bang en wilde hij maar al te graag; zijn nieuwsgierigheid gaf hem kracht, want in het binnenste van het schip had hij iets heel bijzonders ontdekt: een vreemde vrouw, bruin van de evenaar. Je hoefde niet overzee om ontdekkingen te doen. Bij toeval had hij haar een hut in zien glippen, op een koude roestige gang, toen hij daar dwaalde met zijn krant. Geen van de krantenjongens wist van haar af, dat had hij bij ze uitgevist. Niemand had haar ook ooit in het dorp gezien. Was zij een vrijbuiter? Of had ze zich in een hut verstopt als verstekeling? Behalve de kapitein, enkele machinisten en twee loodsen had iedereen het schip moeten verlaten. Een vluchteling misschien? Maar dan wel een die diamanten in haar oren droeg – en dan die ogen, zo zwart, met nog meer zwart eromheen... Die ogen hielpen hem straks de trap op.

Kort na het nieuws van één uur – net uit school – haast de jongen zich naar het schip. Meneer Java heeft de krant al bij de post opgehaald en loopt met hem mee, dat spreekt, alleen dit keer heeft hij een ander doel: hij wil mee aan boord.

'Kan niet,' zegt de jongen.

Meneer Java wil de kapitein spreken.

'Nee!' zegt de jongen beslist – te beslist, hij tempert zijn brutale toon: 'Eh... heus, het kan niet, niemand mag hem storen, alleen de loods.'

'En jij?'

'Ik leg alleen de krant voor zijn deur.'

'Waarom bleef je de vorige keer dan zo lang weg?'

'Ik mocht kijken.'

Meneer Java hengelt... misschien kan hij zijn kaartje afgeven, een stukje mee de trap op...?

'Het is niet voor oude mannen,' zegt de jongen.

Meneer Java recht zijn rug en geeft zijn wandelstok af: 'Pak aan, dragen jij.'

'Opschieten,' snauwt een baggeraar in overall als de jongen met meneer Java op het strand aan komt lopen. De baggeraar kijkt op zijn horloge en omhoog naar het schip.

Waarom zo'n haast, vermoedt de man iets? 'De krant was laat,' zegt de jongen stoer. Bevend klimt hij langs de roestige scheepswand. Meneer Java kijkt hem niet na, uit ergernis heeft hij meteen zijn wandelstok getrokken, klaar voor lessen in het zand.

Boven bij de reling wacht een loods in uniform. Ook die kijkt op zijn horloge. Zouden ze hem in de gaten houden? De jongen laat de krant opvallend zien, de krant is zijn pas. Hij kent de weg naar haar hut en glipt weg tussen trossen en kratten. Het ruikt naar olie op de gang en het bromt en trilt onder zijn voeten. De machinisten testen de scheepsmotoren.

Als de jongen voor haar hut staat en moed verzamelt, opent de vrouw de deur nog voor hij kan aankloppen. Ze lag op de loer en trekt hem naar binnen. Nog voor hij zijn jas uit heeft, hapt hij al in een druipende honingkoek. Ze veegt een straaltje honing van zijn kin, kijkt hem lachend aan. Zo mooi aangekleed zag hij haar niet eerder, in een zwarte jurk, onwinters bloot en kort; ze is nog bruiner dan hij dacht, bijna zo bruin als de meisjes, maar wat hij bij haar voelt, voelde hij nooit bij hen. Ze praat Grieks, dat weet hij want ze leest hardop uit de krant, ze praat Engels en dat de jongen geen woord begrijpt, kan haar niks schelen. Zijn mond moet eten, drinken – kogelflesjes limonade ploppen open. *How do you do... sorry, yes* en *no*, zijn hele voorraad Engels zegt hij voor haar op... maar de antwoorden ontgaan hem. Haar gebaren snapt hij beter: een hand die hem uitnodigt naast haar op de rand van het bed te komen zitten, een elleboog die omhooggaat om hem binnen de opengeslagen krant toe te laten, tussen haar warme blote armen – hij nog altijd met zijn jas aan. Ze spelt de Griekse letters voor hem uit, omdraailetters schrijven ze daar. De jongen weet niet wat hem het meest verbaast, maar zeker is: er woedt geen oorlog in de Griekse krant.

Want ze leest zo rustig, deze vreemdeling, zonder trillende handen, zonder woede. Er staan geen vliegtuigen en soldaten op de vlekkerige foto's. *No bomb?* Ze glimlacht binnen haar krant... hij schuift nog dichter naar haar toe. *'Yes,'* zucht hij en hij snuift zonder nies de drukinkt op.

Zijn geluk wordt verstoord: voetstappen bonken op de gang, de deur van de hut zwaait zonder kloppen open, kou slaat tegen de krant. Een buik stapt binnen, een buik met gouden knopen: de kapitein in eigen persoon. Met gefronste wenkbrauwen onder de klep van zijn pet. Even denkt de jongen dat de vrouw nu is ontdekt. Zijn ze hem gevolgd, heeft hij haar verraden? Maar de kapitein en de vrouw kennen elkaar, ze praten in hun snelle taal, de kapitein wijst naar de gang, naar hem: *'Naughty boy.'* Nee, hij is niet boos. De kapitein knijpt de jongen in zijn wang. *'How do you do?'* Naar buiten, zegt de duim van de kapitein, het dek op. De vrouw slaat een doek om en trippelt met hem mee, op hoge hakken.

Er klinken stemmen op het dek, ze komen van boven achter onder, de machinisten zijn in rep en roer, de loods hangt gebogen over de reling. De jongen hoort een man roepen, een opgewonden maar vertrouwd geluid. Het is meneer Java. Hij staat halverwege de trap met zijn wandelstok te zwaaien. 'Terug,' roept de loods. *'Back, back,'* roept de kapitein. Ik kom eraan, gebaart de jongen. De vrouw lacht om de druk gesticulerende meneer Java. *'Father?'* De jongen kijkt naar een roestvlek op de grond. Nee, dat is zijn vader niet. Hij doet een stap naar achteren, weg van de spot van de loods: Jaaah, het is zijn vader wel. Hoor hem toch, die idioot, die zot... Lachen de mensen op het strand hem uit? Wacht, hij komt direct naar beneden. Niks daarvan, de loods houdt de jongen tegen. Er zit een zwiep in de houten trap, meneer Java moet eerst kalmeren. Maar meneer Java luistert niet, hij daalt niet. Meneer Java stijgt.

Een wandelstok wordt aangereikt en met veel gehijg klimt meneer Java aan boord. Hoed af, hoed op. Een buiging, een hand, een handkus... (En als dank een giechel van de kleumende vrouw.) Het visitekaartje. En een stroom Engelse woorden: *'Yes, yes, ship, libertyship...The girls.'*

'Girls?' herhaalt de kapitein verrast.

De jongen weet niet waar hij kijken moet. De vrouw en de kapitein smoezen met elkaar... Meneer Java laat ze niet met rust, hij clownt en grapt en lacht als ook zij lachen. Hij wil iets van ze... *'No? Yes?'* Zo zag de jongen meneer Java niet eerder, hij is hem vreemder dan de vreemdelingen.

'No. Yes.' Het wordt *yes.*

Dikke jassen worden gehaald. De kapitein neemt de loods apart, er wordt geschreeuwd, bevolen, het gestamp onderdeks valt stil. Er staat iets te gebeuren. Meneer Java wordt weer over de reling geholpen, de trap zwiept tegen de scheepswand en hij daalt – grijnzend. Pas als hij weer op het zand staat, volgt de vrouw. Op naaldhakken! Haar jurk en jas fladderen op. Meneer Java houdt de trap beneden vast, zonder omhoog te kijken, blik afgewend naar de duinen. Een en al tropenmanieren.

Als ook de jongen en de kapitein beneden zijn, deelt meneer Java sigaretten uit om de koud geworden neuzen op te warmen. Rode Griekse lippen zoenen het vloeipapier. Hoestend gaat meneer Java voor in het mulle zand, de kapitein klopt hem vriendelijk op zijn rug.

Lopen ze naar het hotel?

Nee, naar zijn eigen huis. Over de bestoven klinkers, wind in de rug, het zand wervelt om hen heen. En maar Engels praten. De jongen zwijgend erachteraan, zo nu en dan om zich heen kijkend wat het dorp ervan vindt. Niks. Niemand kijkt. Daar loopt zijn geheim, ingepalmd door een drukke meneer Java. God, wat maakt hij een kabaal. Zijn woorden spatten op haar jas. Maar ze is van hem.

Zien ze dat dan niet? Tussen al dat Engels door kijkt ze echt naar hem... Zij spreken de ogentaal. Deze vrouw zou híj nu in zijn album plakken.

Lang mag hun ogentaal niet duren. De jongen wordt vooruitgestuurd om moeder en de meisjes te waarschuwen, meneer Java vertraagt zijn pas.

Paniek in huis. Protest. Meisjesgestamp. Desondanks theewater opgezet en een emmer bleek door de plee gespoeld en snel in de klerenkast gedoken om iets eenvoudigs aan te trekken. Zo zielig toch, die Grieken, je mocht ze niet de ogen uitsteken.

Moeder en de meisjes ontvangen in oude broeken en truien, gekleed voor storm en schipbreuk. Ze schrikken zichtbaar als de vrouw zich van haar jas ontdoet ('Elegantje' noemt moeder haar in de keuken). Maar de kapitein is allercharmantst, Homeros heet hij, en ach, dat elegantje valt reuze mee. Ephtheia mogen ze haar noemen. Niks bijzonders, vindt de jongen... in haar hut schreef ze haar naam al op de rand van de krant, voor hem alleen. Ephtheia vertoont haar kunstje nu ook aan de meisjes: ze schrijft Griekse letters in hun schoolagenda's en een regel uit de *Odyssee* voor eerstezus, om op school mee te showen. Ze snuiven van trots. De repetitieweek komt niet meer ter sprake.

Onder de bisschopswijn, die eigenlijk voor Kerstmis is, zegt Ephtheia het Griekse alfabet op. De aanstelster. Homeros zingt een lied en slaat zijn armen om the girls.

De pingpongtafel wordt opgezet. Het blik abrikozen mag open. Sigaretten gaan rond, zonder banderol. Homeros haalt een heupfles uit zijn binnenzak... echte Russische wodka! Dat moest meneer Java toch eens proeven, een smerig goedje aan zijn gezicht te zien, maar na een slok of wat kent zijn vrolijkheid geen grenzen. De keuken in, rijst opgezet, de kruiden uit de kast en binnen een mum van tijd ruikt het hele huis naar pepertuinen en tabak. Ja, Ephtheia en Homeros mogen het fotoalbum zien... Middelzus past de naaldhakken van Ephtheia, derdezus probeert haar diamanten oorbellen en wil onmiddellijk gaatjes. Glenn Miller gaat uit zijn hoes. Het wordt even stil in huis, moeder veegt een piepklein traantje weg...

Zo gaat het uren... Met vlooienspel, mikado en ganzenbord – wat maar niet uit te leggen valt. *Wonderful family*, zeggen de gasten. De Russen komen niet aan bod. Emigratielanden, vluchthavens, gaten in het IJzeren Gordijn? De atlas blijft in de kast, de jongen hoeft zijn globe niet te laten branden. Er breekt geen glas of bord.

De jongen wordt maar niet naar bed gestuurd. Zo stil houdt hij zich, zelfs Ephtheia ziet hem nauwelijks zitten, ja, een verstrooid aaitje in het voorbijgaan. *Naughty boy*. Ze gaat naar Londen, zegt ze, zodra het schip loskomt.

'*Oh, London.*'

'*Yes, London.*'

Hij haat Engels.

Wonderful family. Wat een stomme lui, die zogenaamde vreemdelingen. Hij haat ze. Hij haat familie. Is dit wel zíjn familie? Een moeder die allerlei lekkers uit de kast trekt en die geen moeite te veel is, meneer Java met zijn verhalen en grimassen, bedelend om een compliment van de kapitein, de meisjes met hun namaak-Engels. Het lijkt... ja, waar lijkt het op? Op een familie uit een kleuterboek, op familie uit de radio: waar ze elkaar in hoorspelen 'snoes' en 'pop' noemen, op zo'n vreselijk gezellige familie die zingend naar de speeltuin gaat, bij wie het alle dagen feest is. Waar vond je die nou!

De volgende middag, als een winters strijklicht de naaldhakputjes in het bruine zeil tot kraters uitvergroot en meneer Java de overige sporen van het bezoek al grondig met dweil en boenwas heeft uitgewist, besluit de jongen na school niet langs de Panamees te fietsen. Hij gaat nooit meer, ook hij heeft zijn krassen! Maar midden in de nacht komt hij er toch niet onderuit: er wordt op het raam gebonsd, aan de deur gebeld... Meneer Java staat naast zijn bed: 'Aankleden, snel! De Panamees komt los.' Het hele dorp is uitgelopen. En dat om één uur 's nachts. Moeder en de meisjes rennen rond in hun broeken en truien. De jongen stapt slaapdronken in zijn laarzen en sloft mee naar buiten. De meisjes klemmen hem tussen zich in en zetten de vaart erin: 'Hollen.' Hun truien ruiken nog steeds naar sigarettenrook. De storm is bedaard. Het sneeuwt.

Vlokken jagen over de boulevard en het is vreemd stil, ondanks het volk dat zich heeft verzameld... Iedereen kijkt dezelfde kant op, naar de zwarte zee... Daar glijdt hij, bijna onmerkbaar in beweging, de Panamees... Zien ze hem, of zien ze hem niet? Opeens is hij in de duisternis verdwenen... zonder afscheidsgroet, zonder stoot van de sirene.

Daar staan ze, tussen de dorpelingen, dicht tegen elkaar aan. Ze kijken lang naar de zee. Ook de jongen.

De haringman is op zijn post gebleven. Twee glanzende olielampen verlichten zijn splinternieuwe kraam. In nog geen maand bij elkaar gesoept. Meneer Java trakteert uit de huishoudportemonnee en moeder vindt het goed.

'Wat een haast ineens,' zegt meneer Java bij de eerste slurp. De hele familie voelt zich in de steek gelaten.

Weer een dag later ziet de jongen de postbode over de boulevard tegen de wind in trappen. Ook hij komt even naar de geulen op het strand kijken, de zandzuiger heeft flink huisgehouden. 'Ik heb nog een pakje voor je,' zegt de post, 'in de haast door de kapitein bij de loods achtergelaten, of ik het maar effies af wou geven.' Voor hem? 'Nee, voor je vader en je moeder.' Een slof Amerikaanse sigaretten en een fles Franse parfum, met een strik en een kaartje voor de *wonderful family*. Er zit geen papier omheen. 'Smokkel-waar,' volgens de post. Hij kijkt heel sip... ze hadden hem ook weleens... na al die kranten... 'Ik ben zelfs een keer erwtensoep aan boord komen brengen.'

De jongen geeft hem de helft van de slof. De rest verdeelt hij onder de vijf andere krantenbezorgers – stoere rokers al. De parfum spoelt hij op een stil moment door de plee. De lege fles vult hij met water. Kaartje en strik er weer zorgvuldig omheen. De meisjes lopen er dagen mee te geuren.

de wereld in kleur

Een kartonnen koker stapt de kamer binnen. Formaat deegroller. De jas die de koker onder zijn arm draagt, ruikt naar sigaar en kolendamp. Meneer Java heeft een lange treinreis achter de rug en hij draagt de coupégeuren mee de kamer in. De familie zou ze niet geroken hebben als hij niet zo oververhit was binnengestormd, zijn overhemd kleeft op zijn borst, hij hijgt. 'Dit moeten jullie zien,' roept hij. 'Doe eerst je jas uit,' zegt moeder, die humeurig het theelicht uitblaast want met haar rust is het nu gedaan. Meneer Java zwaait met de koker. Nee, zijn jas gaat niet uit, zijn hoed niet af, eerst raden wat er in die koker zit. Hij trommelt op het karton... laat moeder luisteren naar een zacht en geheimzinnig schudden. De meisjes komen nieuwsgierig naderbij, de jongen probeert te lezen wat er op het etiket staat, moeder schuift haar stoel naar achteren en begint af te ruimen. 'Nee, wacht, dit geloof je nooit,' zegt meneer Java, 'ik ben op de uitvindersbeurs geweest...'

'En je zou naar die keuringsarts.'

'Hier kan de medische stand niet aan tippen.' Meneer Java laat zijn voorpret niet bederven: 'Ik mocht deze kans niet voorbij laten gaan.'

'Je bent zo bezweet,' zegt moeder.

Meneer Java schudt zich uit zijn jas, de koker gaat mee de mouw in.

'Screen,' spelt de jongen hardop.

'Amerikaanse uitvinding, nog niet in de winkel te koop,' zegt meneer Java. '*Screen* betekent scherm.' Een dik vel plastic zucht uit de koker, maar uitgerold zit de regenboog erin verborgen. Meneer Java houdt het scherm voor zijn gezicht: neus, lippen en tanden kleuren ineens oranje-rood, alsof hij uit zijn mond bloedt – en halverwege zijn hoofd licht zijn gezicht blauw op, daarboven schemert het geel. En kijk, zijn witte overhemd is bruin... hé, als het scherm beweegt, springt het naar groen.

'En?' vraagt meneer Java.

'Doe weg, je ziet er doodeng uit,' zegt moeder.

De jongen springt om hem heen, hij wil ook door het scherm kijken... Jemig, moet je zien: een oranje koekjes-trommel, bruine theepot... en moeder heeft blauw haar. Meneer Java draait het plastic om, en groen wordt moeder, blauw de theepot, oranje de meisjes... Iets hoger, tikkeltje schever en de kleuren veranderen opnieuw.

'Wat is het?' vraagt moeder.

'Kleurentelevisie,' zegt meneer Java. 'Voor de beeldbuis plakken en klaar is Kees.'

'Maar we hebben helemaal geen televisie.' De meisjes proesten het uit.

Meneer Java rolt het scherm zorgvuldig op.

'En we moesten bezuinigen!' zegt eerstezus.

'Dat schermt heeft me niets gekost, ik kreeg het er gratis bij,' zegt meneer Java.

'Waar bij?' vraagt moeder.

'Bij een televisie.'

De tafel valt stil.

'We moeten de toestand in de gaten houden...' De Toestand is zijn hobby, dat weet iedereen in het dorp. Geen man is beter op de derde wereldoorlog voorbereid dan hij. Sinds het eerste bericht over de Russische h-bomproef, drie jaar geleden alweer, heeft hij niet stilgezeten. De kelder is uitgegraven, er is voor jaren blikvoer ingeslagen, de weckpotten zijn gevuld, de zandzakken nog leeg, maar er liggen twee scheppen klaar om het duin af te graven. De Bescherming Burgerbevolking stelt hem ten voorbeeld! Het halve huishoudgeld gaat op aan de Toestand en nu dit... een televisie... De meisjes kijken elkaar vol ongeloof aan: 'Televisie?' Echt waar? Echt waar! De jongen danst om meneer Java heen. Televisie, televisie. De eerste in het huis. De eerste in de straat. Nooit meer naar die kwijlende Ronnie, de debiele jongen bij wie het hele dorp op woensdag- en zaterdagmiddag komt kijken... als je de kans krijgt meer te zien dan zijn platte achterhoofd, want Ronnie gaat altijd vlak voor het beeld zitten, een paar centimeter van het glas... De jongen wil het liefst meteen naar buiten om het iedereen te vertellen. 'Wanneer, wanneer?' vraagt hij.

'Morgen,' zegt meneer Java.

'Morgen brengen,' snibt moeder.

'Inderdaad,' zegt meneer Java, 'ze komen hem morgen brengen.'

'Hou het maar bij de radio en de krant.'

'Nee,' zegt meneer Java heftig. 'Ik wil die boeven weleens zien bewegen, niet zwart-wit, maar in kleur, zoals de wereld is.'

'De wereld als toverbal,' zegt moeder.

De volgende middag rijdt er een luxebestelauto voor. Een grote doos wordt uitgeladen. Aan de zijkant van de doos staat een dik mannetje afgebeeld, wijdbeens, in een knalblauw pak, en op zijn roze kale kop torst hij met opgeheven armen een televisietoestel. Het mannetje grijnst: deze kant boven. De man van de bestelauto kijkt heel wat norser: hij zeult de doos puffend achter meneer Java aan... door een overvolle gang, langs fietsen, brommers, en onder veel 'pas op het behang en let op de verf'. Het is niet eenvoudig een geschikte plek voor het toestel te vinden – uit het zonlicht en dicht bij een stopcontact en makkelijke stoel – maar na het nodige geschuif heeft meneer Java een hoek bij het raam vrijgemaakt; de halve zitkamer ligt overhoop. Een tafel ontbreekt nog, maar de buren hebben een theekist aangeboden.

Het uitpakken is een stil moment. De meisjes zijn nog niet terug uit school, moeder zegt dat ze betere dingen heeft te doen, dus alleen meneer Java en zoon zijn er getuige van hoe de man van de bestelauto het mannetje op de televisiedoos met een mes bewerkt. Onthoofd, blauw pak in repen, grijns aan flarden... De buitenkant van de doos huilt, maar de binnenkant geeft troost: niet eerder werd zoveel glans op een theekist gezet. Hout, glas, knoppen... van de beste kwaliteit, ook zonder beeld een feest om naar te kijken. Terwijl meneer Java zijn aanwinst met een stofdoek streelt, haalt de man een ijzeren H uit zijn bestelauto en klimt ermee het dak op, een draad met twee kabels slingert achter hem aan. Dat is de antenne. De man roept, schreeuwt, meneer Java hangt uit het raam en volgt de instructies op: Draai aan die ene knop, nee, aan die andere, schud aan de draad, stekker andersom... Sneeuw, meer haalt de antenne niet uit de lucht. Na drie keer dak op dak af en het nodige stellen en draaien lukt het een testbeeld te ontvangen. Zwart-wit-grijze blokjes en cirkels waaieren voorbij, vallen om, tippelen van boven naar beneden, maar uiteindelijk krijgt de man ze stil en haarscherp. Het Amerikaanse scherm ervoor en het testbeeld krijgt bonte kleuren. Het wachten is op beweging. Vanavond is er uitzending.

De meisjes hebben hun huiswerk afgeraffeld en de stoelen klaargezet, het grote licht is uit, er brandt alleen een kleine schemerlamp achter de televisie, dat moet volgens de gebruiksaanwijzing. Iedereen zit klaar, behalve moeder, die met haar naaidoos naar de slaapkamer is vertrokken. Door de hitte van de televisie heeft meneer Java het scherm voor de derde keer met plakband moeten vastzetten, maar nu zit het dan ook. Het journaal kan beginnen...! Een violet schijnsel kleurt de kamer. Een gong slaat. Te hard, het nieuws krijgt de bibbers. Deze kuren heeft het toestel nog niet eerder vertoond. Als meneer Java wil ingrijpen en naar voren loopt, wordt het beeld rustig voor hij ook maar een knop heeft aangeraakt. Maar zodra hij weer gaat zitten, begint het gebibber opnieuw. Zitten is bibberen, staan is rust. Meneer Java kijkt dus staand. De meisjes kunnen zo niets zien, ook zij gaan erbij staan. De jongen zoekt een plaats tussen acht benen... Maar ze worden beloond, het is een bijzonder journaal: een donkergroen schip vaart dwars door de woestijn. Een oranje woestijn. Meneer Java en de meisjes schuiven ongemerkt dichter bij elkaar, ze wijzen naar die grote leegte in dat kleine kastje onder hen. Een sliert gele zon breekt door de blauwe hemel. De camera vliegt over water en zand... en wat zijn dat? Piramides, ja dat zijn nu piramides. Oranjerode piramides. Als gloeiende kolen achter een mica ruitje.

'Maar in het echt zijn ze bruin,' zegt middelzus, die erlangs is gevaren.

Meneer Java en de meisjes kissebissen: nee onmogelijk, ze kunnen toen nooit piramides hebben gezien. Wel woestijn, dagenlang, en de Rode Zee. 'En die had niet eens een kleur.'

'Het komt door de zonsondergang,' zegt meneer Java.

'Het is klaarlichte dag.'

Onderwijl zinkt er op het journaal een schip in het Suezkanaal. En nog een, ijzeren kadavers versperren de doorvaart. Meneer Java en de meisjes zien het niet, ze kibbelen over de kleur van zand, steen en pijpleidingen en over de palmen... ook oranje. Er klopt niets van volgens de meisjes. Behalve dan die krioelende mensen beneden aan de wal, die waren klein en bruin. Egyptenaren... Daar zijn ze het allemaal over eens. De Egyptenaren zwaaien naar de camera. De meisjes zwaaien terug, lachen naar ze, prachtig... zo is het, zo was het, precies zoals ze het hebben meegemaakt. Meneer Java grijpt duizelig naar zijn hoofd en laat zich in zijn stoel zakken: 'Ze komen wel heel dichtbij.'

De landkaart van de weerman trilt onder de mouw van zijn jasje. Groen en bruin is Nederland, kleuren waarvan je op aan kunt.

Twee dagen later zit de familie opnieuw klaar voor het journaal, nog steeds zonder moeder – ze staakt. De gong, de stem en weer een potje knokken. Bommen uit de lucht, torpedo's door het water. De theekist geeft de knallen extra klank. Meneer Java valt met zijn neus in de boter, hij glimt ervan. Nu hij alle kranten gelezen heeft, snapt hij wat hij gisteren heeft gezien. 'De Britten staan in hun blote kont,' zegt hij. Maar de Britten op het journaal dragen overalls en leren jekkers. Piloten. Oranje tanden lachen overmoedig in de camera, of groene en blauwe... afhankelijk van hoe hoog het vliegdekschip op de golven ligt. Vliegtuigen stijgen op, vliegtuigen dalen. Er dalen er meer dan er stijgen, ze duiken, tuimelen bij bosjes uit de regenboog. De meisjes gillen... Kalm maar, het is het beeld. De televisie tippelt. Voor de zoveelste keer.

'Dat ding is kapot,' zegt eerstezus.

'Nee, het zijn die klungels van het nieuws,' weet meneer Java.

Het is te veel. Moeder stuurt meneer Java met een kop slaapthee naar bed.

De volgende dag speurt de jongen de grijze lucht boven zee af, op zoek naar strepen en letters van piloten in nood.

De ellende is niet uit de televisie weg te slaan, het is of de duvel ermee speelt: drie keer in de week toont het journaal beelden van oorlog en crisis. Ministers komen met sombere gezichten in spoedvergadering bijeen, de koningin laat zich informeren, huisvrouwen hamsteren kaarsen en lampolie ('Te laat, te laat,' kraait meneer Java), de omroepsters hebben hun lach ingewisseld voor een begrafenisgezicht. Meteen na het weerbericht moet het toestel uit: om na te zuchten, na te praten. Hoezeer de jongen ook bedelt om nog een kwartiertje quiz – hij leert er zoveel van en het is zo goed voor zijn algemene ontwikkeling – meneer Java vindt het van wansmaak getuigen om naar een quiz te kijken terwijl het Vrije Westen onder vuur ligt, ook al kun je er nog zoveel kwartjes mee winnen. 'Je steekt er niks van op,' zegt moeder, van zo'n quiz niet en al helemaal niet van dat vechten: 'Het maakt ons alleen maar armer. Trouwens, wie betaalt deze ellende eigenlijk?'

'De Russen,' zegt meneer Java somber terwijl hij het staren naar de televisie voor staren uit het raam verruilt.

'Ik bedoel: wie betaalt dat kastje,' zegt moeder op de televisie wijzend. Er is een rekening binnengekomen, vermoedt ze (de naam van een haar onbekende firma staat op de envelop). Ze heeft hem naast meneer Java's bord gelegd. 'Het zijn bijzondere tijden,' zegt hij als de meisjes ernaar vragen.

Meneer Java heeft iets nieuws ontdekt, in zijn pogingen het tippelen uit zijn toestel te krijgen is hij zelf het dak op geklommen, en al draaiend en testend heeft hij bij toeval Duitsland ontvangen. Hij wist niet eens dat het erin zat. En wat die niet uitzenden! Alleen maar oorlog, 's middags al. Oude en nieuwe oorlogen, dichtbij en ver weg. De jongen moet ook komen kijken; schriften en boeken aan de kant, want de lessen van het nieuws zijn levenslessen. Let op: zo lacht een bezetter die zijn vlag op andermans gebouwen plant. De vette lach van de dikkop Rus. Hun tanks rukken van alle kanten op, ze deinen over de velden, ploegen over oude pleinen, kerktorens sneuvelen als bomen in de storm. Nog even en ze staan aan de grens... Boedapest is al ingenomen. Maar kijk: de vrouwen van Boedapest smeren de straten in met groene zeep, de Russische tanks tollen op de bruggen. Zeep kan de loop van de wereldgeschiedenis veranderen, één kloddertje is al genoeg... Meneer Java juicht als er een tank het water in glijdt en prijst de vrouwen om hun slimheid; zij weten: 'Met zeep kan je een oorlog winnen.' En wat doen de mannen van Boedapest? De mannen worden opgehangen. Waardig wachtend op de strop, in lange overjassen. Meneer Java en de jongen zien het aan, het Duits gaat oor in oor uit, maar wat langs het oog schiet, blijft binnen. Ook al laat de antenne het nog zo sneeuwen.

Meneer Java zal de Hongaren steunen, hij zal geld overmaken, nog meer bonen kopen, en potten groene zeep. Hij zweert het op zijn knieën voor de televisie. Hij is niet bij het scherm weg te slaan. Zonnebril op, niemand mag zijn tranen zien.

Onzin, hoe komen ze erbij. Zonnebril op, want dan heeft hij geen last van de sneeuw.

Het kinderprogramma krijgt thuis geen kans. Ook op woensdag- en zaterdagmiddag eist de toestand in de wereld meneer Java's aandacht op; hij heeft een touw aan de H op het dak geknoopt en kan zo vanaf de grond naar vlokken Duitsland zoeken. De jongen moet nu kiezen tussen uitzicht op het platte achterhoofd van gekke Ronnie of het hete hoofd van meneer Java.

De wereld brandt op alle fronten... In Indonesië gooien ze de laatste Hollanders eruit. Indonesië – een naam die meneer Java nauwelijks over zijn lippen krijgt (het is thuis, aan tafel, zelfs een verboden woord), ook de oude naam Indië gebruikt hij niet graag. Alleen de klank al doet zo'n pijn en hij wil niet zeuren... Nee, dan spreekt hij liever over 'de tropen', 'overzee' of gewoon 'vroeger'. Maar de beelden die het journaal uit zijn geboorteland laat zien, verpletteren zijn herinneringen aan vroeger: verwilderde plantentuinen, vernietigde oude plantages, pleinen vol jouwende Indonesiërs die de doodstraf tegen een Hollandse zakenman eisen en gebouwen besmeurd met leuzen en doodshoofden: Kill the Dutch. Het zijn beelden die hij met al zijn kopkracht niet durfde te verzinnen. En ook de jongen gelooft zijn eigen ogen niet: het hele fotoalbum komt in beweging, al zijn de huizen achter het kleurenscherm niet wit, maar blauw en groen en oranje... De vrouwen zijn even mooi en de bediendes nog altijd gedienstig met het koffers pakken... Maar deze mensen reizen niet voor hun plezier: ze slaan op de vlucht. Indo's die in de verwarring niet meer weten bij welk land ze horen... Ze worden uitgejouwd op straat, rennen haastig de loopplank van een schip op... Moeders met kinderen wuiven naar de kade, tegen de reling gedrukt, starend naar de palmenoever die ze achterlaten. 'Sukkels,' roept meneer Java hun toe, 'jullie konden weten dat Aap niet te vertrouwen is.'

Aap. De nachtmerrie in eigen persoon. Ook hij komt op het journaal. In levenden lijve. Aap over wie de kranten dagelijks schrijven. Met die onafscheidelijke zwarte bloempot op zijn kop, zijn filmsterrenzonnebril, zijn schoenen met verhoogde hak, zijn strak gesneden pak. Daar zat hij... een parade af te nemen... 'Op een vergulde troon,' volgens meneer Java, die luid beschrijft wat hij ziet, in veel meer kleuren dan het scherm kan bieden. De jongen kent Aap uit honderden verhalen. Aap is de man die meneer Java en zijn familie in het ongeluk heeft gestort, een dief, verrader, fantast, idioot, ijdeltuit, dictator. Moeder is ertegen dat hij Aap wordt genoemd, ook al kan ze hem niet luchten of zien, en de meisjes schamen zich als meneer Java zo over hem tekeergaat, zij zeggen gewoon...

Nee, meneer Java wil het niet horen.

Zijn echte naam wordt in zijn bijzijn niet uitgesproken. Aap, punt uit. Zijn foto in de krant werd met hoongelach begroet, zijn smoelwerk uitgebreid becommentarieerd. Aap de veelwijver. Aap het ingenieurtje. Aap de dief. Uiteindelijk belandde hij bespuugd en verfrommeld in de prullenbak, of erger: de schaar erin, de vlam erin, en hem als slingeraap in de asbak op laten krullen – maar dat ging moeder echt te ver. Zeg Aap en meneer Java is niet meer te stuiten.

Maar hoe langer Aap daar loopt, in dat kastje, op de theekist, in kleur en geluid, hoe stiller meneer Java wordt. Met open mond volgt hij hem. Vliegtuigtrap af, limousine in. Elke beweging, elke handeling... Hij kruipt haast naast hem in het scherm. Ze lijken op elkaar, ziet de jongen. Zelfde manier van lopen – schommelend, voet naar links, voet naar rechts –, zelfde gebaren, zelfde accent, lach, zonnebril. Allebei goede manieren: dames voor en kusjes op hun hand. En prima kleermaker, de mouw iets boven het overhemd... Ja, dat moet meneer Java hem nageven. Wel rare kleppen op zijn zak; met gouden knopen.

Aap maakt al maanden een wereldreis. In China zit hij bij Mao Tse-tung op de thee... Verdomd, Aap wordt met egards ontvangen. Dit is beter dan de krant! De meisjes komen van de afwas aangelopen, moeder staat handen-wringend achter meneer Java's stoel... Aap springt van land naar land... Bij de moffen, de Zwitsers, de paus, die zoent hij op zijn ring... Nu wordt het moeder te dol: ze slaat haar ogen neer. Maar ze staan weer op steeltjes als Aap hand in hand met Chroesjtsjov loopt, in de sneeuw op het Kremlin.

'Hij durft wel,' fluisteren de meisjes.

Meneer Java hijgt, het gaat hem allemaal te snel: Aap houdt een toespraak in Amerika! Het land van de bevrij-ders, *off all places*. Aap praat een pittig Engels.

'Hoor hem!'

'Wat een praatjes!'

'Verhip, zeg.'

'Prrftt...' Een boer, een wind, hoongelach...

Aap wordt bedolven onder de confetti – een ticker-tape-parade. Kijk hem genieten! De camera ligt aan zijn voeten, zijn kaak zwelt onder de toejuichingen. Padvinders zwaai-en met vlaggen. Aap wordt steeds groter en zij die in de ka-mer naar de televisie kijken steeds kleiner... De jongen ziet zijn familie krimpen, ook al houdt meneer Java het beeld staand in bedwang. Aap op trappen, bordessen en tribu-nes, zwaaiend met zijn maarschalkstaf. En naast hem, als een kleine schaduw, loopt een bruine jongen in een prach-tig pak. Ook die bruine jongen kijkt op naar Aap.

'Hij heeft zijn zoon meegenomen,' zegt meneer Java ver-baasd.

'Van wie is dat er nu een?' vraagt moeder.

De zoon van Aap wordt met een buiging door mannen in donkere pakken verwelkomd. Hij krijgt een hand van president Eisenhower, inspecteert de erewacht, rijen gedecoreerde militairen salueren voor hem, een jongen! Hij mag in de cockpit van een straaljager zitten, krijgt een helm opgezet. Een zoon zonder een spoor van onzekerheid: zijn voeten zijn gewend aan uitgerolde lopers.

De jongen zuigt de apenzoon op in zijn geheugen, hij bestudeert zijn loop, zijn lach, meet zijn pak van top tot teen, hij schat hem even lang als hijzelf, even oud misschien... Zulke kleren wil hij ook. Ook hij zou naar een vader op willen kijken... Hij probeert het... maar meneer Java kijkt te boos. Het lukt hem niet.

'Apenliefde,' zegt moeder.

Nog voor de omroepster (ook al zo'n rooie hond) de rest van het avondprogramma kan aankondigen, draait meneer Java de knop om. 'Hij speelt ze allemaal tegen elkaar uit,' zegt hij. Dit keer loopt hij niet naar zijn vaste plek voor het raam, maar rommelt tussen de lege bloempotten achter het gordijn bij de vensterbank. Hij blaast het stof uit een pot, zet hem op zijn kale kop, zonnebril op, en keert zich naar de kamer toe... een grijns, alle tanden bloot en een woordenstroom die niet te volgen is... op z'n Aaps, met de klemtóón op de motór. Zijn eigen accent. Meneer Java is Aap.

Moeder en de meisjes gieren het uit. Vuisten in de schoot, ze houwen het niet meer. Leuker dan televisie, zeggen ze.

'Eind van de maand zijn we failliet,' waarschuwt moeder de volgende avond met een scheef oog naar de televisie.

'We zitten pas aan het begin,' zegt meneer Java. 'Je weet niet wat er dan is gebeurd.'

'Er ligt al dagen een brief op je te wachten.'

'De hele wereld wacht.'

Moeder loopt naar het bureau, dreigt met de envelop. 'Nu,' zegt ze. 'Nu,' roepen de meisjes.

'Denk toch aan jullie moeder,' zegt meneer Java zacht.

Het vouwbeen snijdt door het papier... Moeders ogen vertellen genoeg, ze gooit de brief op tafel. De meisjes kraaien eropaf. Ze lezen met open mond. 'Wat betekent afbetaling?' vraagt derdezus. 'Hij is al een maand achter,' zegt middelzus. 'Tweede termijn over drie weken,' zegt eerstezus.

'Dat ding gaat de deur uit,' besluit moeder. Meneer Java blaast een stofje van het kleurenscherm. 'Hoor je me?'

'Nee.'

'Dat kastje doet ons geen goed,' zegt moeder, en dat vindt zij niet alleen. Dokter Kofferman (de zenuwarts die haar bijstaat), de apotheker (bij wie ze om rustgevende kruiden komt), de meisjes – ze zijn het allemaal met haar eens. Ze is op, kan niet meer, denkt er ooit weleens iemand aan haar? De bodem is bereikt, vooral in de huishoudportemonnee. Zorgelijk kijkt ze, zorgelijk praat ze.

En meneer Java? Die geniet, kijkt naar het concours hippique. Prachtig is het. Zwevende paarden over groene heggen. Opspattende aarde. Westfaler schimmels, Arabieren, lippizaners, Amerikaanse dravers. En de hemel zonder wolken, de zon schijnt, zoals het hoort. Voor het eerst kloppen de kleuren van het televisiescherm. Zo zou het journaal er ook uit moeten zien: bruin op de grond, groen wat laag groeit, rossig wat beweegt en daarboven een regenboog aan kleuren met een ruime hand van blauw en violet. De wereld in het gareel. Altijd concours hippique, nooit meer oorlog.

Een luxebestelauto rijdt voor, een man stapt uit, een grote doos wordt uitgeladen. De doos stuitert op de grond, de man sleept hem met één hand achter zich aan. Het is een lege doos. Aan de zijkant staat een dik mannetje afgebeeld, wijdbeens, met opgeheven armen, in een knalblauw pak, zijn gezicht is weggescheurd, zijn handen afgesneden. De man van de bestelauto kijkt nors. Moeder wacht hem op in de gang. Ze fluistert, wijst de man waar de ladder staat. De H wordt van het dak gehaald, het antennedraad opgerold. Binnen zit meneer Java naar het concours hippique in de sneeuw te kijken... vallende ruiters, tippelende paarden... hij heeft zijn zonnebril erbij opgezet. Hij verzet zich niet als de televisie in de doos verdwijnt – goede kant boven. Het is een stil moment. Moeder en de man praten over termijnen. Als de bestelauto is weggereden, doet meneer Java de overgordijnen dicht; niet iedereen hoeft te zien dat het violette schijnsel ineens uit de zitkamer is verdwenen. De zonnebril blijft op. Hij heeft genoeg van kleur. Zo ziet hij ook het schaamrood van zijn zoon niet.

paardensprong

De Britten hebben drieënnegentig tanks naar Suez verscheept, de kratten met het zilveren officiersbestek en de champagne wachten op verder vervoer in de haven van Port Said, er zijn Franse reservisten opgeroepen, en wat doet de regering in Den Haag? Den Haag draait zich nog eens om in bed... Niet meneer Java, hij luistert midden in de nacht naar de BBC, niets ontgaat hem, hij is paraat. De kelder is geïnspecteerd, de voorraden zijn aangevuld, naden en kieren in huis gedicht. En ook de reddingspaarden worden niet vergeten, want het zijn gevoelige dieren en ze bespeuren onraad eerder dan de mens. Hij neemt elke dag een ander paard om los te rijden – hoe beter hun conditie, hoe meer je er in tijden van nood aan hebt. Soms laat hij ze alle acht vrij op het strand. Dan draven ze rond en spatten in zee, maar als ze uitgerend zijn, gaan ze voor hem staan en vormen uit zichzelf een span. Vier aan vier. Hij ziet het met tevredenheid aan: zo gehoorzaam en sterk als ze zijn... had iedereen zijn zaakjes maar perfect op orde.

Als het weerbericht een felle oostenwind aankondigt en moeder opnieuw het vreemde geluid hoort – het hoefgeroffel, dat na lange afwezigheid plotseling is teruggekeerd – gaat meneer Java onmiddellijk naar de stal. Alles lijkt rustig. Maar de wind draait die avond en valt uit het noordwesten, en de volgende ochtend uit het noordoosten. De zee wordt door de kolkende wind opgestuwd en golven beuken de zeereep. Er komen berichten door dat het water over de Hondsbossche loopt. Meneer Java voelt dat de paarden wat voelen... maar wat? 'Misschien willen ze zich eindelijk eens bewijzen.'

'Dus ze verlangen naar een schip in nood,' zegt middelzus.

Hoe komt ze erbij. Ze willen hun kracht tonen... Wie niet in deze tijd.

Meneer Java was die tweede dag al een paar keer naar de stal geweest en na het eten moest de jongen ook mee. Onder protest, zoals altijd. De paarden mogen een fijne neus hebben voor fall-out... hij rook hun angstzweet die avond, ze stonken erger dan ooit, ondanks de draaiende wind om de stal. Hij weigerde naar binnen te gaan... Dat zegt de jongen de volgende dag, als de mensen in het dorp naar woorden zoeken om samen één verhaal te vertellen... want er is die nacht te veel gebeurd... dat kan geen mens alleen bevatten.

De jongen is net komen aanfietsen en valt midden in hun opwinding... dat wordt spijbelen. Ze spreken allemaal door elkaar heen. Iedereen verwachtte een noodsignaal: de mannen van de reddingsbrigade (daar had de jongen nog naar staan kijken, hoe ze de algen van de romp afkrabden omdat ze met een gladde sloep te water wilden), het volk dat bij windkracht negen áltijd naar de boulevard komt, en dus ook die avond was uitgelopen, een paar lieslaarsvissers en Pikkel de jutter. En de klok luidde: een schip in moeilijkheden. Egmond en Petten waren ook gewaarschuwd. De paarden werden voor de sloep gespannen en meneer Java had daarbij geholpen. Sijpesteijn, van de reddingsbrigade, zegt dat ze nog zo'n skik hebben gehad om die Indische man (meneer Java) die veelste netjes gekleed was, terwijl hunnie (de vrijwilligers van de reddingsbrigade) glibberden van de algen. En dat meneer Java in z'n goeie goed uitgegleden moest zijn en zo met zijn hoofd tegen de sloep kwam. 'Misschien waren de paarden daarvan geskrokken, híj werd d'r in ieder geval erg suffig van en zijn zoon heb hem toen mee naar hun pension (het huis van de familie) genomen.'

De jongen vindt het aardig dat Sijpesteijn in het bijzijn van zoveel mensen meneer Java niet 'die Pinda' noemt, zoals de vrijwilligers gewoonlijk doen... maar al snel begrijpt hij dat het helemaal niet om meneer Java gaat (al hadden ze thuis wel de hele avond hun handen vol gehad aan zijn bult). Het is allemaal veel erger.

Pikkel de jutter zegt dat het de hand van de Here is geweest. De timmerman beweert dat zoiets met een tractor nooit had kunnen gebeuren. 'Nogal wiedes,' werpt iemand anders tegen: 'Met een tractor heb je ook geen paarden.' Maar die arme dieren treft geen enkele schuld, daar is, op Pikkel na, iedereen het over eens. Zulke mooie beesten als dat waren... Maar hoe kon het dan gebeuren?

'Plotseling vielen ze weg,' zegt Sijpesteijn, 'kort na de lancering, een paar meter in de branding, hoge golven, maar te doen, we kregen net vaart, wilden ons losmaken en... daar gingen ze, voor je eigenste ogen... zoefff naar beneden. Alsof ze het ravijn in mieterden. Te geschrokken om te zwemmen... regelrecht de diepte in. De golven draaiden boven hun hoofden. Het scheelde een haar of ze hadden ons meegetrokken.'

De jongen weet niet wat hij hoort.

'Maar daar is het toch niet diep,' roept een visser, 'jullie konden er staan.'

'Waar wij lagen was het niet dieper dan mijn heup,' zegt Sijpesteijn. 'Een van de mannen is eerst nog met de peilstok het water in gegaan... we doen nooit anders.'

'De ogen waren er ook niet op gericht,' valt een andere vrijwilliger Sijpesteijn bij, 'we zochten de golven af naar een schip in nood, ik keek enkelt naar een deinend lampie in de verte. We hebben in feite niets gezien.'

Er worden maten gemeten en hoofden geschud... en dan te bedenken dat het vals alarm is geweest... ze hadden evengoed aan wal kunnen blijven. Het schip in nood wist zichzelf te redden.

Het is verschrikkelijk.

De vrouw van de boterfabrikant, die uit haar huis op het strand kan kijken, vraagt: 'Zou het niet door de zandzuiger komen? Om de Panamees los te krijgen hebben ze daar toen hele diepe geulen moeten maken.' De Panamees, maar dat is al zo lang geleden... Nee, daar is niemand op gekomen. Behalve Pikkel, die zegt dat de Panamees een plaag voor het dorp is geweest, omdat de Here...

'Omdat er voor jou niets te jatten viel,' roept een brutale Egmonder hem toe.

En zo staan de mensen nog lang na te praten om zich in woorden voor te stellen wat er die nacht gebeurd kan zijn.

Meneer Java heeft het pas tegen de middag op de radio gehoord en is meteen naar het strand gelopen – duizelend over de weg, tegen doktersvoorschrift in, want hij moet minstens een week bedrust houden in het donker. Uren heeft hij in de golven staan staren, tot moeder hem weg kwam halen. Thuis wil hij er niet over praten. Uiterlijk heel kalm brengt hij het zelfs op de jongen te troosten... er zal geen rookvlees van zíjn paarden worden gemaakt. Zodra ze aanspoelen, krijgen ze een graf in de duinen.

Maar de paarden spoelen niet aan. Pas na een paar dagen komt het drama in zicht, op een zonnige dag bij eb, als de storm is gaan liggen. De zandbanken vallen bloot en daartussen schitteren de donkere diepe geulen. Wat voorheen doorwaadbare zee was, is nu een graf voor acht Zeeuwse reddingspaarden.

Meneer Java wil niet gaan kijken, hij blijft liever in het donker van zijn slaapkamer, want daar heeft hij al twee nachten achtereen zijn trouwe span gezien: vier aan vier naast zijn bed.

Als moeder dat hoort, belt ze meteen bij de melkboer dokter Kofferman.

de haas

Van Gend & Loos heeft de haas bezorgd, het jaarlijks kerstgeschenk van de pachter. Een stijve dode haas, in zijn eigen winterjas, met een label om zijn nek. En nou hangt hij te wachten op de grote viller. Het is elk jaar de vraag wie. Moeder maar weer? Zij heeft koelbloedige slachters in haar familie, grootvader doodt kippen door een stopnaald in hun hersens te prikken. Maar dit keer brengt ze het niet op: 'Wat mij betreft vieren we dit jaar een vegetarisch kerstfeest.' Ze deed het vroeger trouwens meer voor het vel dan voor het vlees, zegt ze. En het hele gezin lóópt al met hazenwanten.

Meneer Java dan? Die wist zich tot nog toe handig te drukken: 'Er zijn ook dingen die je niet moet kunnen. Slachten is iets voor personeel.'

De meisjes? Kunnen slangen villen, een aap roosteren als het moet – allemaal in het kamp geleerd. Maar zo'n stinkhaas? Nee!

'Dat hoort,' zegt moeder, 'het is een adellijke haas.'

Van adel of niet, zíj zijn er te goed voor.

Begraven dan maar?

Veto van meneer Java: 'Er wordt onder geen beding eten weggegooid.'

Moeder heeft een beter idee: 'We vragen dit jaar een bouwvakker.' Er wordt verderop een huis gebouwd en er lopen tegenwoordig heel wat 'echte kerels' rond in het dorp.

'Ben ik soms geen echte kerel?' vraagt meneer Java. Sinds moeder hem tijdens een van zijn poetsbuien per ongeluk voor Jan Hen heeft uitgemaakt, is dat een pijnlijk onderwerp.

'Arbeiders zijn ongevoeliger,' weet moeder.

Dat laat meneer Java niet op zich zitten: 'Slijp de messen maar!'

De haas ligt op het aanrecht. Meneer Java heeft een schort omgebonden. Moeder en de meisjes haasten zich naar de zitkamer. De jongen treuzelt op de drempel tussen keuken en gang en kijkt met een half oog toe. Het is natuurlijk een kwestie van pure kopkracht. Meneer Java kan het. Hij ziet de haas al gestroopt en in moten in de braadpan. Alleen het velletje en de ingewanden nog. Snee hier, snee daar, tanden op elkaar...

'Wanneer houdt die verdomde pachter eens op ons elk

jaar met een half verrot lijk te verrassen?' moppert meneer Java. Moeder heeft een strook weiland geërfd, zo klein dat de pacht in natura wordt betaald. 'Volgens mij doet hij het alleen maar om haar te pesten, om haar aan de stank te herinneren die ze destijds is ontvlucht.' Maar meneer Java haalt er zijn neus niet voor op, hij zal die haas eens met zachte hand uit zijn jas helpen. Een schrijfhand schuwt het mes niet.

Daar gaat hij... kop op, en een keep in de nek... De jongen loopt de keuken uit. Hij hoort gebonk boven het aanrecht, het lopen van een kraan, een vloek, een kreet... Als hij weer om de deur kijkt, zit meneer Java onder het bloed, een hele spriets van buik tot gezicht. Meneer Java merkt het niet, hij trekt met zijn ogen dicht aan een harige hazenkop en een half ontblote hazenrug. Het beest trilt in zijn handen. En dondert in de gootsteen. Bloed en water spatten op. Meneer Java kijkt geschrokken naar zijn handen. Rood tot aan de polsen. Hij loopt de gang op, zijn armen voor zich uit gestoken, achter die vreemde druipende handen aan. Een roep om hulp. Druppels op het zeil. Rode knokkels op de deurpost. De jongen loopt met meneer Java mee en ziet alleen maar vlekken. Meneer Java houdt midden in de kamer stil. Hij huilt. 'Doe jij het maar,' zegt hij tegen moeder, 'jij bent tussen het bloed opgevoed.'

Ze klaart het karwei als een kerel. De jongen krijgt een hazenpoot: voor geluk.

Kerstmis

Kerstavond. Haas. Een haas vol hagel. Meneer Java spuugt vier kogeltjes uit, de meisjes samen wel vijf. Harde loden kogeltjes, ze tikken op het bord. Moeder bijt op drie en heeft er twee ingeslikt – ze kan ze maar moeilijk voelen met haar valse gebit. Kogeltjes op de rand van het bord leggen. Hoort zo. De jongen vist met zijn lepel naar kogeltjes in de saus. De oorlog knarst onder in de schaal. Drie heeft hij er al. 'Rare jager, die pachter,' mompelt meneer Java, 'om loodvergiftiging van te krijgen.' Zijn mes schiet uit, er rolt een kogeltje op de grond. Overrrrrr... het zeil. Hij schenkt er geen aandacht aan. Kan gebeuren, zo'n kogeltje.

Klein onbelangrijk kogeltje.

Maar het hindert meneer Java. Hij kijkt onder tafel, onder zijn stoel, achter zijn rug. Brutaal kogeltje. Je zou zeggen dat het uitgeschoten is. Dood kogeltje. Toch schiet het eigenwijs door. Op de knieën en beter kijken. Waar is dat verdomde kogeltje? Een meegebraden vet kogeltje. Zo ver kan het toch niet zijn weggerold?

De familie trekt de benen in en geeft aanwijzingen. Omdat meneer Java's stoel zo pijnlijk leeg blijft, komt ook moeder hem op de grond gezelschap houden. En de meisjes en de jongen: allemaal op de knieën en met de platte hand de vloer aftasten. Onder het kleed misschien, achter de bolpoot van het dressoir? Moeder stoot haar hoofd aan het tafelblad, wil opstaan, denkt de tafelpoot te pakken, maar trekt zich aan het kleed omhoog. Daar roetsjt de haas, en de appelcompote, de puree, de spruitjes op een damasten glijbaan de kamer in... vorken en messen erachteraan, de borden... en de kogeltjes.

Meneer Java veegt de scherven opzij en laat zich niet van de wijs brengen, hij geeft de zoektocht niet op. Waar is zijn kogeltje?

Moeder overziet het slagveld en gaat weer door de knieën: 'Hier ligt er een.'

'Nee, dat is net gevallen.' Meneer Java wil zijn eigen kogeltje. Het zijne rolde meer naar links.

'Is dit hem dan? Of deze?'

Onmogelijk, daar is hij al twee keer geweest.

'Hier, deze is mooi rond.'

'Ze zijn allemaal rond.'

'Nee, niet waar, voel maar, deze is plat, een geketst kogeltje.'

Moeder, de meisjes, de jongen, elke vondst houden ze op: een appelpit uit de compote, een verdwaalde rijstkorrel, een in de plintnaad geveegde muizenpoep... alles wat rond en hard aanvoelt, maar niks lijkt op dat ene, van het bord verstoten kerstkogeltje.

Er rolt iets anders. Een traan rolt over meneer Java's wang. Ja, hij is wat snotterig de laatste tijd. Hij kruipt onder tafel, kruipt in zijn jasje... hij krimpt. Moeder reikt hem een servet aan, maar meneer Java slaat haar troost van zich af. Hij trapt om zich heen, een vork schiet weg, grote scherven breken tot kleine scherven. Hij graait naar een stuk haas, die verdomde haas, en smijt het tegen de muur...

De meisjes en de jongen knijpen hun ogen dicht, ze kennen dit geluid. De scherven van de juskom, de scherven van een bord. Nieuw is het geluid van scherven gemengd met puree: ze eten bijna nooit aardappelen; zwaarder glijdt dat. Het behang huilt.

Meneer Java huilt.

Kaarsen uit. Scherven in de vuilnisbak. En naar bed, allemaal naar bed. Meneer Java ruimt de rommel op, alleen. Wassen hoeft niet en hou de sokken maar aan. Halfnegen. Kerstavond.

De volgende morgen is de eettafel verboden terrein. Op de slaapkamers blijven! Meneer Java ruimt op. Om twaalf uur – na het nieuws – gaat de kamerdeur pas open...

Mooi hoor: kerstpapier op de ontbijttafel, rode klokken onder aan de tafellamp en lekker, de geur van kerstbrood en boenwas, lijm, verf en bleek, maar wat heeft het lang geduurd voor het weer zo vredig ruikt.

Niemand maakt zo goed schoon wat hij zelf vuil heeft gemaakt als meneer Java. Vegen, dweilen, poetsen, beschadigingen met verf bijtippen, scheuren in het behang overplakken – hij werkt er zijn drift mee weg en als het gedaan is, lapt hij alles nog eens na met bleek. Bleek is zijn eau de cologne, daar wordt hij echt rustig van.

De kaarsen mogen aan. Er ligt voor ieder een mandarijntje naast het bord. Zwijgend snijdt moeder het kerstbrood aan, als de dood dat haar mes uitschiet. Niets mag meneer Java ontstemmen. De familie speelt gelukkig kerstfeest. De meisjes bijten een zenuwgiechel in hun servetten weg. De jongen slikt een nies in.

'Jullie hebben nog een kerstverhaal te goed,' zegt meneer Java, 'gisteravond kwam het er niet van. Luister:

Ik had een ruitervriend, zeer gezien op de Hippische, eigenaar van twee prachtige renpaarden én een tabaksplantage. Aardige vent, eerlijk, rechtvaardig, geliefd bij de inlanders. Zo kaal als een biljartbal.'

De meisjes knijpen hun mandarijnenschillen in de kaarsvlammen uit. Het sap knettert in de vlam.

'Willen jullie het horen of niet?'

Nog meer geknetter.

'Goed dus, mijn vriend was al op zijn twintigste kaal, misschien is hij daarom nooit getrouwd. Op zijn dertigste nog steeds alleen. Nee, wacht... Ik doe hem te kort, knap was hij, een knappe kop – het gaat tenslotte om de inhoud. Een man met hart voor zijn onderneming, deed zelf uitvindingen, importeerde de nieuwste machines, bouwde een schooltje voor de kinderen van zijn arbeiders. De oorlog trok ons uit elkaar. Ik moest in die jaren nog weleens aan hem denken als ik aan de andere kant van het prikkeldraad de doodskreet van een paard hoorde... honger maakt wreed ja... ach, hij had prachtige volbloed Arabieren. Tot ik hem op een goede dag... nee, het waren geen goede dagen, het was vrede, maar een rottijd ja, opstand, rampokkers, chaos, je wist niet waar je het zoeken moest, reizen was gevaarlijk en we zaten vast in de streek waar mijn vriend zijn plantage had, de Europese wijken stonden in brand, het achterland smeulde en de tabak was ook niet meer wat die geweest was...' Meneer Java zwijgt, staart in de vlam van zijn kaars.

'Ik zat daar in mijn rodekruiskloffie en daar reed hij ineens voorbij, fier te paard, in uniform, cavalerie, net als ik, zo parmantig had ik hem nog nooit gezien. Hoe kwam hij aan een paard? "Geconfisqueerd," zei hij, "of beter: teruggepakt." Hij had er een ouwe knecht mee zien lopen, zijn eigen paard, overduidelijk.'

'Wordt dit een paardverhaal of een kerstverhaal?' vraagt moeder.

'Kerstmis zat eraan te komen... niet dat we het vierden, de bevolking had het te druk met andere goden en dat handjevol soldaten deed er ook niet veel aan, na al het fraais dat wij hadden meegemaakt waren we de god van de christenen flink zat.

Mijn vriend ging een dag uit rijden. Idioot... wist hij, maar hij hield het niet meer uit. Na al die geruchten wilde hij weten wat er van zijn onderneming over was. Onderweg kwam hij een groep mannen met stokken en geweren tegen. Opstandelingen. Een van hen, een gewapende voorman, vroeg hem waar hij heen ging. "Naar mijn plantage," antwoordde mijn vriend. "Aha, een planter," riep die kerel en hij drukte zijn geweer in de nek van het paard. Maar de anderen herkenden hem, ouderen, een paar jongeren, ze hadden voor hem gewerkt of op zijn schooltje gezeten. Hij was blij ze te zien, zij ook... Mijn vriend steeg af, wilde hen begroeten... maar de voorman kwam tussenbeide. "Planter," schreeuwde hij, "wat is er zo bijzonder aan een planter, waarom zoveel respect voor deze man? Hij is net zoveel planter als jullie dat zijn. Jullie kunnen toch ook planten... het is jullie eigen grond! Deze man is een vijand van het volk. Hij heeft jullie laten lijden. Nu moet hij lijden." Hij maaide met de kolf van zijn geweer en schampte de kale kop van mijn vriend... deed een stap achteruit en maakte een gebaar naar de andere opstandelingen... ze mochten hun gang met hem gaan. Mijn vriend wilde op zijn paard springen, maar ze hadden de teugels al te pakken... hij probeerde weg te rennen, zocht dekking achter een muurtje, maar ze sleurden hem ervandaan, sloegen hem met stokken. Ze hesen hem op de been, lieten hem weer gaan, haalden hem in... sloegen en trapten hem opnieuw. De groep achtervolgers zwol aan. Tot ze een kerk passeerden. Een pastoor kwam op het lawaai af, hij wilde de planter helpen en ging tussen hem en de tierende menigte staan. Er schoot ook nog een vrouw te hulp, een oude kokkie die haar vroegere toean herkende, ze wilde hem wat water geven, maar een paar jonge heethoofden sloegen de fles uit haar hand. "Doodt die kaalkop," riepen ze, "en de pastoor erbij." ... Stemmen achter andermans rug, stemmen zonder gezicht...

De pastoor wist in het gewoel te ontvluchten, maar mijn vriend werd door de dorpen gesleurd. Hij kermde van de pijn. Onder een boom lieten ze hem even bijkomen. Een mooie boom om hem aan op te hangen, ze probeerden de takken uit, bonden het leidsel van zijn paard om zijn nek, trokken het strak. Iemand waste het bloed van zijn hoofd, maakte zijn ogen schoon, zodat hij zijn eigen ophanging beter kon zien... dat hoorden we later. Hoop moet hij hebben gehad, hij was nog lang niet dood. Hij bood ze geld aan, ze kochten er eten voor, ze propten zijn mond vol rijst, gaven hem te drinken, trapten in zijn buik, zodat hij alles weer uitspoog...'

'Smakelijk eten,' roept middelzus.

Meneer Java luistert niet, hij zit allang niet meer aan tafel, hij trekt zijn vriend van de boosdoeners weg, neemt diens leidsel in zijn hand, al is het een servet: 'Ze sleurden hem langs huizen en hutten, er voegden zich telkens andere mensen bij de achtervolgers.' Hij praat steeds heser: 'Ze liepen mee, fietsten mee, de meesten wisten niet eens wat er aan de hand was. Een planter die iets misdaan had... dronken zeker... misschien een jong meisje verleid... zulke dingen gebeurden. En hij zou "Leve de koningin" hebben geroepen. "Leve de koningin?" *"Republik, republik,"* scandeerden opgeschoten jongens. *"Merdeka!"* Nieuwe schreeuwers, nieuwe daders. Er kwamen dorpelingen bij, er vielen er af... Niemand had uiteindelijk iets gedaan, niemand was schuldig. Het regende stenen, stokslagen... twee uur lang ging dat zo voort. Zijn hoofd was een bloedbal. "Moeten we je doodschieten of doodslaan?" vroeg een oud boertje. "Schieten," smeekte hij, "schieten." "Horen jullie dat?" riep de boer. "Haal jullie geweren." Maar de mensen bleven staan. Lijden moest hij... lijden voor hun ogen.'

'Zo is het wel genoeg,' zegt moeder resoluut. Ze ziet hoe de jongen alles opzuigt.

'Voor de achtervolgers van mijn vriend was het niet genoeg,' bijt meneer Java haar toe. 'Het schoppen, slaan en stenen gooien ging door. Allemaal keurige mannen bleek later. Niet eens zo jong, vaders van kinderen, grootvaders ook, een riksjarijder zat erbij, een taai kereltje van over de zestig, hij ging met een fietsketting tekeer... Een bekeerd christen, heb ik me laten vertellen. En toen mijn vriend daar als lijk lag, ontfermden de kinderen zich over hem. Ze doopten hun stokken in zijn bloed. Een jongen van veertien daagde een ander uit.

"Wat, durf je niet? Angsthaas! Je hebt geen bloed aan je stok." Ze wilden hem in brand steken, roosteren, opeten.

"Nu die pastoor nog," riepen de ouderen die toekeken, "laten we ze allebei verbranden en dwars over elkaar op de grond leggen, samen vormen ze een mooi kruis." Amen,' zegt meneer Java en hij steekt zijn servet in de ring.

Moeder veegt de mandarijnenschillen bijeen en stapelt de borden op: 'Noem je dat een kerstverhaal?'

'Het gebeurde met Kerstmis.'

Schild en Heil

Tas gepakt, jas geborsteld, zijn geld geteld, zijn zorgen, moeders zorgen. Meneer Java staat klaar. Kijkt op zijn horloge, telt, weer dat verdomde tellen – iets van de laatste tijd. Hij loopt naar het raam. Daar rijdt de bakker voorbij, in zijn kleine grijze bestel, sigaar in de mond, haar wit van de bloem. Knoeipot. Nee, niet met de bakker mee. De boemel? Rijdt niet in de winter: te weinig passagiers.

'Eet eerst wat soep,' zegt moeder, 'het zal een koude reis worden.'

Soep?

Haar ogen smeken.

Meneer Java moet aansterken, hij heeft zo vaak zijn eten tegen het behang gegooid dat nu ook zijn jukbeenderen als scherven uit zijn wangen steken. 'Doen, doen die soep,' zegt hij in zichzelf. Binnenkort krijgt hij slecht te eten. Gestichtssoep, dun en waterig. Doen.

Meneer Java eet zijn soep. De familie knikt lepel voor lepel mee.

Dokter Kofferman belt aan. Slepende stap, krijg je met zo'n naam.

'Dokter, als ik niet wil, hoef ik toch niet?' vraagt meneer Java.

'U bent tot niets verplicht,' zegt dokter Kofferman.

'Je hoort het,' zegt meneer Java tegen moeder.

'Je hoeft ook niet, maar rust zal je goeddoen.' Dokter geeft haar gelijk.

'Mag mijn jongen mee?' vraagt meneer Java aan dokter Kofferman. Ze gaan naar Schild en Heil, het gekkengesticht. Maar hij is niet gek, hij is alleen maar moe. 'Ik ga er alleen maar slapen, heel veel slapen, bij aankomst meteen naar bed...Waarom zou ik mijn soep nog opeten?' Zijn stem is hees.

De jongen mag mee tot aan de poort; niet mee naar binnen, nog niet.

Meneer Java neemt afscheid. De meisjes hangen zo aan hun moeder dat hij bij geen wang kan uitkomen, ze schermen elkaar af. Dan maar een zoen in de lucht. 'Ja, dag, ja, dag. Ga nu maar.'

Daar loopt hij over het tuinpad, tussen de dokter en de jongen in, hij zwaait nog even en recht zijn rug als hij de ogen van de buren van zijn schouders afslaat. De jongen voelt die ogen ook. Ze kijken niet meer om.

Meneer Java gaat naast dokter Kofferman zitten. De jongen mag achterin, met zicht op twee nekken en twee kragen. Het jasje van de dokter is uit model, zijn kraag kreukelt, zijn das piept er aan de achterkant onderuit, hij moet nodig naar de kapper. Dokter is de rust zelve. Meneer Java zit rechtop in zijn tweed, zijn boord glanst van het stijfsel, zijn das is hoog gestrikt en nek en bakkebaarden zijn bijgeschoren. Strak in de leidsels en toch kan meneer Java zichzelf niet in bedwang houden. Op hol geslagen, volgens moeder.

Je zou het niet zeggen... zo beheerst als hij voorin zit, de dokter uitvragend over de knopjes en wijzers op zijn notenhouten dashboard, zo rustig als hij uit het raampje kijkt, wijzend naar een haas op een duin. Hij zwaait naar de haas. De haas gaat op zijn achterpoten staan.

'Pas jij maar op,' zegt meneer Java.
De haas lacht.

de eerste dans

Eerstezus kluift aan haar pen en zwoegt op een brief aan meneer Java:

«Het is mijn schuld, ik heb je uitgekozen, of jij mij? Wij elkaar, laten we het daar maar op houden. Jij, die de laatste jaren elk verhaal met 'vroeger' begint, zal je vast wel andere dingen herinneren, maar ik weet nog heel goed hoe het tussen ons begon: met wachten, weken wachten, achter gesloten hekken van het evacuatiekamp, in een afgezet deel van de havenwijk. Wachten op bericht en op een schip en elke dag zag ik je weer. Je was anders dan de andere soldaten, droeg nooit je uniform. Het is bijna niet meer voor te stellen. Wist ik wat ik zocht en waar was jij op uit? Je liep met me mee naar onze barak, zag onze zieke moeder, bezorgde ons zeep en mooie kleren. Ik kreeg een witte jurk met broderie. Je kende de mazen van het hek, maar bleef altijd keurig en galant, dat moet ik je nageven. Zoals je mammie mee uit vroeg, in pak en das... pfff, maar ze durfde niet. Na het kamp was ze volledig ingestort. We hadden zo gevochten om haar op de been te houden. Het scheelde maar een haar. Vrouwen krijgen geen medailles, maar zij verdiende er ook geen. Ik heb me in het kamp vaak voor haar geschaamd. Soms geloof ik mijn eigen ogen niet als ik zie hoe sterk ze nu geworden is. Sterk naast jou. Ze mag je wel dankbaar zijn. En niet alleen voor de medicijnen die je voor haar wist te organiseren. Wat je niet weet, is dat mammie aanvankelijk niets van je moest hebben. Een losbol vond ze je. Hoe kon een man plezier najagen terwijl er elke dag vermisten van de lijst werden doorgestreept en aan de dodenlijst toegevoegd? Ze was zo bang voor de toekomst. Ze geneerde zich voor haar loszittende tanden, voor ons lappenhoekje op de slaapzaal. Maar omdat je zo goed voor haar was – de klamboe! – mocht ik met je uit wandelen. En gewandeld hebben we, op de dansvloer van de missiepost. God, wat zullen we er hebben uitgezien, ik een spicht en jij een geraamte en toch voelden we ons sterk. We keken niet om, en jij helemaal niet. Mijn lichaam had jaren stilgestaan en plotseling bloeide ik op. Als ik 's avonds te laat mijn bed opzocht, zag ik het gordijn bewegen van de zuchten. Mammie klaagde niet, maar de hele barak had met haar te doen. Voorhoofd met koude doeken deppen, bed verschonen, po legen, helpen naar de mandiekamer... ja, dan kwam het weer goed. Assepoes bij moeders bed. Zodra ik me in mijn witte jurk hees, begon ze te kwijnen. Wat dat betreft lijken jullie op elkaar: zwakte geeft jullie macht. Als ik jullie zo bezig zie moet ik erg aan onze eerste weken denken, al probeer ik het van me af te schudden. Sorry.

Er wordt thuis al genoeg over vroeger gezeurd, maar één ding heb ik je altijd willen vragen: Was het beleefdheid dat je mammie uitnodigde om mee uit dansen te gaan? Of trok het pensioen van een weduwe van een eerste luitenant... Nee, wat gemeen, dat kon je op dat moment niet weten. Toen het beter met haar ging, wou ze alsnog met je uit en dat werd een heel gevecht voor de spiegel: zij wilde in mijn witte jurk – zo mager was ze en zo ijdel – en als ze geen oedeembuik had gehad, zou hij haar hebben gepast ook. Steeds meer weduwen durfden te gaan dansen. Wij hadden nog geen enkel officieel bericht over mijn vader... maar rouw went snel. Jullie pasten goed bij elkaar, dat zag ik onder de eerste tango al. Heupen even hoog, ook al was ze een stuk ouder dan jij. Leiden en lijden.

En nu zijn de rollen omgedraaid.

Maar vergeet niet: ík had de eerste dans. »

De brief belandt in de prullenbak.

op bezoek

Het gekste van de gekken in Schild en Heil is dat ze zo normaal lijken, dat was de jongen in de glazen hal al opgevallen: keurig geklede mannen, ze liepen gewoon los, je kon echt niks aan ze zien – geen zwaaiende want met zes vingers, schuimbekkers achter tralies of iemand die luidkeels verkondigde dat hij Napoleon was... hun ziekte zat niet aan de buitenkant. Gelukkig maar, niemand kan dus zien dat hij de zoon van een gek is.

Moeder vindt wel dat de mannen die ze op de lange gang passeren erg sloom lopen; ze is gespannen en zet er flink de pas in met haar zware mand vol schone was en lekkers. Het is tegen de regels patiënten op hun kamer te bezoeken, maar voor een langslaper als meneer Java wordt een uitzondering gemaakt. Vrouwen komen ze onderweg niet tegen, toch horen ze als ze voor zijn kamer staan een hoge vrouwenstem gillen. 'Ik dacht dat het gescheiden afdelingen waren,' zegt moeder bezorgd. Ze luistert aan de deur en klopt.

Pas na enig gestommel doet meneer Java open, niet in pyjama maar keurig in het pak, hij kijkt moeder en de jongen aan alsof hij geen bezoek had verwacht. Moeder stapt bedeesd de kleine kamer binnen, ze vergeet de kus.

'Jullie zien er heel anders uit dan ik dacht,' zegt meneer Java vaag, 'wat kunnen gezichten in drie weken veranderen.'

'Jij bent veranderd.' Moeder wil hem alsnog een kus geven, maar hij deinst achteruit. 'Je hebt een dikkere kop gekregen,' zegt ze.

'Van de pillen en de spuiten.' En de slaap, goh, hij heeft de eerste twee weken alleen maar geslapen.

Zijn ogen staan zachter, niet meer de harde blik van voor de kerst, zijn slapen lijken nog hoger opgeschoren en hij ziet bleek, er speelt een weemoedig lachje om zijn lippen. Maar hij grijnst als moeder zijn kamer inspecteert: de te kleine klerenkast, twee hoge bruine stoelen, schrijftafel, de lakens van het eenpersoonsbed, nachtkastje, een radio... 'Is dat wel toegestaan?' vraagt ze met een vermanende vinger.

'Van een lieve zuster te leen gekregen. Het is hier zeer gehorig, ik doe hem aan om de stemmen van de buren te verdrijven.'

De mand wordt uitgepakt: veel hersenvoedsel en een fles room. ('Room is goedheid', heeft moeder ergens gelezen.)

'Geen kranten?'

'Ach, wat dom... vergeten,' zegt moeder met een schuin oog naar de jongen.

Meneer Java controleert de stijfseldichtheid van zijn overhemdkragen. De meisjes laten zich groeten met brieven en een zelfgemaakte cake; ze zitten weer in de repetitieweek. De jongen wist niet wat hij geven moest, hij heeft zijn taalschrift meegenomen en laat zijn vorderingen zien. Het liefst was hij meteen naast meneer Java op bed gaan zitten, dicht tegen hem aan, zonder wat te zeggen. Maar meneer Java wil niet te dichtbij, wil geen hand, geen zoen: 'Je loopt hier van alles op.'

Terwijl moeder de vuile was inpakt en schone overhemden in de kast legt, bladert hij door het schrift. Hij bromt, kreunt, haalt zijn vulpen uit zijn jasje te voorschijn, streept en verbetert: 'Wat een letters! Je lussen zijn gegroeid,' zegt hij, 'je maakt er lasso's van. Probeer je er soms iemand mee te vangen?'

De jongen kijkt ongemakkelijk.

'Hier vangen ze patiënten met woorden. Pas op! Uit díé strikken kom je niet makkelijk los. De heren doktoren praten je een ziekte aan, ook als je niks mankeert. Wanen en manen krijg je aangemeten... tot de dwangbuis past. Jippieajee!' Meneer Java zwaait met een beschreven kladje dat hij uit zijn binnenzak haalt. 'Ik heb er een paar voor je verzameld: monomanen, hypomanen... wacht, ik schrijf ze voor je op, leuk voor school.' De manen golven in het taalschrift: 'Megalomanen, trichotillománen...'

'Wat?' zegt moeder, met haar hoofd half in de klerenkast.

'Dat zijn mensen die hun haren uitrukken.' Meneer Java tikt op zijn glimmende kale schedel.

'Zitten die hier?'

'Wij hebben hier geen kapper nodig. En poriomanen... O, poriomanie, dat lijkt me een geweldige kwaal. Poriomanen móéten zwerven, elke dag op avontuur, maar ze herinneren zich niet wat ze hebben meegemaakt. Denk je eens in... leven als een fotograaf zonder filmrol.'

'Niet normaal, zoveel geleerdheid voor een paar gekken,' flapt moeder eruit.

'Ja, de heren doktoren hebben hier veel om handen,' zegt meneer Java plotseling ernstig. 'Maar hun woorden maken ons bang. Ze weten het allemaal zo goed: dit is een bocht en dat is een hoek en hier het begin en daar het eind. En als ik dan zeg: Maar dokter, als ik verdwaal zie ik veel meer... dan hoor je de spot in zijn stem. Geen boom kan ze nog verbazen. Hun rimboe heet pillenpot. Ze snoeien de mensen op maat en maken alles kapot.' Meneer Java speelt met de dop van zijn pen. 'Eergister nog,' zegt hij zacht tegen moeder, 'een vent van net in de dertig... je vraagt je af waar hij dat touw gevonden heeft.'

'Sssst,' zegt moeder, 'niet waar dat joch bij zit.'

Maar dat joch kan het allang niet meer volgen, zijn hoofd bleef hangen bij de lasso. Hij zou er wel een willen hebben, een lasso waarmee hij meneer Java kan vangen en wegvoeren, weg van al die gevaarlijke mannen en manen.

Moeder loopt naar het smalle raam dat uitkijkt op een vale tuin. 'En welk woord gebruiken ze voor jou?' vraagt ze vlak.

Meneer Java ziet en hoort het niet, hij verdiept zich weer in zijn kwalenlijst: 'Megalomanen, mythomanen...'

'Ik dacht dat je hier alleen slapen moest.'

De slaapkuur zit erop... meneer Java sluimert nog een beetje na, zegt hij, maar de laatste week heeft hij zelfs al mogen wandelen en hebben de zusters hem mee uit genomen.

'Uit?'

'Naar de eetzaal, het handenarbeidlokaal, de conversatie.' Wil ze zijn afdeling zien?

Zal hij haar rondleiden? Hij doet ineens weer opgewekt.

Moeder wil niets liever dan die bedompte kamer uit.

Even later lopen ze gedrieën door de lange hoge gangen. Meneer Java traag, moeder gejaagd, voorbij deuren en nog eens deuren, zo nu en dan houdt ze zuchtend haar pas in, opkijkend naar de hoge grijze plafonds – onbereikbare hemels. Ze passeren een ingetrapte deur: 'Daar zit de gekkensmid,' zegt meneer Java tegen de jongen.

'Hij kletst maar wat,' bitst moeder.

De deurengang komt uit op een lichte ruimte. Een halve cirkel ramen en ook nog eens glas vanboven – er zit niemand, omdat het bezoekuur is. 'Dit is de conversatie,' zegt meneer Java.

Moeder en de jongen keuren de ruimte. Kokosmat op linoleum, houten tafel, stoelen bleekjes eromheen – alles strak berkenhout, inclusief de krantenbak. 'Deens ontwerp, verantwoord ongezellig.' Meneer Java aait een rugleuning: 'Wat een treurig leven hebben die Deense berken. Eerst staan ze met hun zilveren velletje in de poolwind te rillen, dan worden ze geofferd aan het hopeloze zitten... Kijk toch eens die smalle nerven, ze zijn veel te jong geveld. Die Arne Rasmussen is een schoft.'

'Wie is Arne Rasmussen?' vraagt moeder.

'Zijn naam staat onder elke stoel.'

'Maar licht,' sust moeder, 'niet somber.'

'Het hout jankt,' zegt meneer Java, 'ga er maar op zitten... als je daar niet verdrietig van wordt...?'

Moeder probeert een Deense stoel. Wijdbeens.

'En?'

'Zit heerlijk.'

'Heerlijk! Jij wilt ook nooit voelen wat ik zeg.'

Ze drukt haar tas in haar schoot. 'Wat vind jij?' Ze zoekt steun bij de jongen, die van haar wegkijkt en geen antwoord geeft omdat hij plotseling enge manen in de nerven van de Deense tafel heeft ontdekt.

'Je hebt een ongevoelige kont,' zegt meneer Java.

Wat een toon. Geen woord meer over die stoelen. Moeder zoekt een ander onderwerp: 'Het lijkt me heel boeiend om hier te converseren.'

'Toepen en klaverjassen, ja. Ik weiger hier te zitten... die stoelen zijn nog in de groei,' zegt meneer Java.

'Ja, nu weet ik het wel!' schreeuwt moeder, ze schrikt van haar eigen drift.

'Ik kaart niet met gekken.'

'Ja ja, en jij bent normaal,' zegt moeder, 'maar míj maak je stapelgek.'

'Hoor je dat?' zegt meneer Java tegen de jongen, 'je moeder lijdt aan mij... Een zuiver geval van mannomanie.' Hij lacht om zijn vondst en stoot zijn jongen aan: 'Schrijf op, mooi woord.'

Als ze naar de uitgang lopen, herhaalt de jongen het

vreemde woord een paar keer binnensmonds. In de glazen hal, waar bewoners en bezoekers afscheid van elkaar nemen, schrijft hij het nog snel even in zijn schrift. Meneer Java moet de spelling keuren. Maar moeder heeft de jongen al mee naar buiten getrokken. Hij houdt zijn schrift tegen het glas. Lippen lezen het woord. 'Met dubbel n, één a,' gebaart meneer Java; zijn verbeteringen dringen niet door... hij schrijft het met spuug op het glas.

Het woord komt met grote halen in het schrift. Expres. Hij wil meneer Java met zijn lasso mee naar huis slepen.

gemis

De geluiden thuis zijn veranderd. Geen deur die te hard wordt dichtgeslagen, geen woedende stap op de gang of scherven die de eetlust benemen. De verbiedende stem, het sluipend oog dat op tenen loopt – de jongen hoort ze niet meer. Hij zou kunnen doen wat hij wil, maar nu het mag (met je schoenen op bed liggen, op straat eten) is de lol eraf. Niet bij moeder en de meisjes, die genieten: ze draaien verboden plaatjes, hebben de radio op een vrolijke zender gezet en moeder steekt haar haar niet meer op, ze draagt zelfs een broek (ook dat maakt een ander geluid) – niet een broek voor tuin of storm, maar een broek voor de hele dag. Meneer Java zou steigeren als hij haar zo zag. Nog even en ze rookt op straat! En de rommel groeit met de dag. De krantenbak puilt uit, het bureau is een bende, de verdorde geraniumbladeren worden niet meer afgeplukt. Meneer Java's afwezigheid hoopt zich op.

De jongen haalt de bezem erdoor, hij stofzuigt, zet de fietsen recht in de gang, legt een schone krant onder de lekkende solex, poetst met Vim de krassen van de zwarte handvatten tegen het witsel weg en als alles is opgeruimd

– schoon, geordend en op stapels, zoals meneer Java het graag ziet – haalt hij de boenmachine uit de kast en sleept hem naar het doffe zeil. Zodra de motor draait, neemt de borstel hém op sleep, van links naar rechts, tussen stoelen, tafel en dressoir, botsend tegen de poten – hij boent het huis tot spiegelhuis, maakt alles weer heel en glanzend. Hij bewondert zichzelf in het boenwasmeer... zo mooi en bruin kent hij zich niet, en langer, hij lijkt gegroeid... En dan schrikt hij, draait zich met een ruk om, naar de schaduw die hij achter zich verwacht, de dreigende schaduw die hem altijd zo klein maakt, de schaduw van meneer Java... Maar die is er dus niet, de schoenen die thuis zo driftig over het zeil stappen, schuifelen nu in Schild en Heil.

Schild en Heil, trilt en dweil... De motor zingt de naam, de borstel bromt de naam, de jongen wrijft de letters in het zeil.

grenzeloos

'Ik ben gisteren aan een brief begonnen, maar heb besloten hem niet te sturen. Je zou gesputterd hebben als je hem in je eentje gelezen had, want ik moet je iets bekennen,' zegt meneer Java tegen moeder. Hij gaat erbij staan, knoopt zijn jasje dicht, haalt de brief uit zijn binnenzak. Hij zal hem als een gedicht voordragen:

«'Mooi is mijn geliefde niet
en toch kan ik geen nacht meer zonder haar.
  Ze kraakt, bromt, is hoekig, haar glans is eraf,
haar stoffen befje rafelt.
  Ze heeft een knalgroen lodderoog
en een gloeiend hart: zes lampen.

Als ze huilt (vooral 's nachts) kan ze niet uit haar woorden komen, en moet ik haar helpen zoeken.

Het minste of geringste stoort haar.

Maar als ze ontvankelijk is, dan hoor je ook wat. Alle talen van de wereld. Het suizende heelal.

O, ik houd zo van mijn radio.

Vooral haar liedjes vrolijken me op. Kan me niet bommen of ik de woorden versta, geeft niet welke wijs.

Neem de Fransen, die zingen de godganse dag.
Jij kent ze toch? Ze bezingen in alles de liefde:
In dorpen in steden in vrouwen in kanonnen
in paarden.

In Indo-China. In het hele universum.

Hun liefde kent geen grenzen.

Maar tot hoever mag je gaan?

Ik geloof in de trouw. In de man die zijn vrouw volgt tot ver over zee. In de vrouw die haar man niet verlaat. Niet zoals mijn moeder die vijf mannen versleet en ontelbare minnaars had. Ook grenzeloos.

Ik luister naar het buitenland om mijn grenzen te leren kennen. Doktersadvies. De zenuwarts leert mij beperking: niet te hoog in de bol, maar evenwichtig leven met beide voeten op de grond.

En de Italianen dan? Uitvinders van het praten op de radio, die proberen met hun stemmen de hemel te verkennen.

Voorspraak bij Maria of plaatsbespreking bij Petrus. Ik zing met de kwartiermakers van Marconi mee. Vlieg op.

Draai zelf eens aan de knop. Pas op. Beheers je, voor je het weet ga je te ver. Duizend kilometer op de kaart is maar één millimeter op de schaal. Stop, wat je nu hoort is de Stem van Amerika. Die kennen we. Bulldozer onder de zenders, stoort zich nergens aan. Over grenzen gesproken: duwt bij bewolking de Russen uit de lucht.

Iedereen gelijk, zeggen de communisten – in geluk en ongeluk.

Dus op naar de middengolf... Pas op, je schuift er bijna aan voorbij: Radio Moskou, barst los! *СЛУШАЙ*... Luister.
Ja, ik spreek al een aardig mondje. Je weet maar nooit. Zal ik het voor je vertalen?

"In de stad Swerdlowsk is gisteren de tweehonderdvijftig miljoenste eenheidsworst van de lopende band gerold, onder luid applaus van zenuwartsen en arbeiders."

Komt die worst ook in een Siberisch strafkamp op tafel?

Hou je kop bij de knop! Vergeet de eenstemmigheid. Brno, Boedapest, Tallinn, Beromünster. Allemaal hetzelfde liedje.

Aan de haal met die schaal! Hé, hoor je dat, overal dezelfde ernstige stemmen met het Nieuws. Zelfs het nieuws kent zijn plaats! De wereld zingt niet op de hele uren. Als de klok slaat, maken alle landen en alle zenders de balans op: conferenties, rekwesten, paragrafen, protesten, ultimatums, opgeblazen bruggen, luchtkastelen, de doden aan het front – alles bij elkaar opgeteld blijkt het op alle uren vijf voor twaalf. Wat een evenwicht.

Hup, nog een zwengel aan die stemmenhengel.' »

Meneer Java bespeelt zijn radio als een marconist. Marseille, Kalundborg, Napels, Hilversum, Moermansk... Zijn neusvleugels trillen van opwinding. 'Hebbes! Ken je haar? Yma Sumac... Zij is een Incaprinses, een zonaanbidster. Hoor toch, wat een stratosferische kracht. Vijf octaven uit één strot, wat een verscheidenheid, wat een hoogmoed: *"Oem bah barrrm ooooh iiih fuuuur gè, gè hjem ieeee booouah bah!"'* Meneer Java zingt mee.

'Kan je dat verstaan?' vraagt moeder.

'Ze zingt wat ik voel.'

'Een ernstig geval van radiomanie,' zegt moeder.

'Gaan jullie een keertje mee?' vraagt moeder.

'Vraagt hij naar ons?'

'Hij is nog te veel met zichzelf bezig om in anderen geïnteresseerd te zijn.'

'Dan mist hij ons ook niet.'

'Hij probeerde ook voor jullie een vader te zijn.'

'Je praat in de verleden tijd... Heb je hem al doodverklaard?'

'Jullie zijn gemeen.'

'En jij? Je loopt te zingen door het huis. Mis jij hem?'

'Soms, 's nachts... het bed is zo leeg en koud.'

'Zet je de elektrische deken toch een graadje hoger.'

een hoofd vol post

Het leven joeg hem zo aan, zei meneer Java... altijd maar zenuwachtig en altijd maar post, post van de mijne heren, antwoorden die om antwoorden vroegen en daar kwam dan weer een brief op, brieven die om brieven vroegen en altijd lag er wat op de mat en wat op de mat lag, lag op zijn hart, ja, zijn hart was te zwaar en zijn hoofd te licht en dan sliep hij niet, dan liep hij maar rond 's nachts, licht aan, licht uit, bed in, bed uit, radio aan, radio uit, en dan dacht hij maar, dan bedacht hij de beste brieven en dan schreef hij een antwoord op de brief die nog moest komen. Nu had hij al vier brieven onderweg op antwoorden die nog moesten komen, begrijp je? En dan had hij ook nog zijn berekeningen. Tellen. Vellen vol getallen. Je raakt niet uitgeteld. Begrijp je? De jongen kijkt zijn vader aan. Hij begrijpt.

'En, converseer je al?' vraagt moeder als zij en de jongen met meneer Java de conversatieruimte van Schild en Heil binnenstappen.

'Ik kijk wel uit, ik heb mezelf meer dan genoeg te vertellen,' zegt meneer Java.

Moeder kan niet laten hem spottend aan te kijken, maar ze houdt zich in: ze heeft zo een afspraak met de geneesheer-directeur om over de nieuwe medicijnen te praten, want dat het slapen niet geholpen heeft, ziet iedereen. Kalmte is geboden: 'En wat zeg je dan tegen jezelf?'

'Ik kom hier alleen om te ijsberen... ik heb de ruimte nodig om na te denken.' Meneer Java praat zo luid en opgewonden dat de patiënten die er zitten onmiddellijk uit hun Deense stoelen opspringen. Moeder gebaart ze toch vooral te blijven zitten, maar hij zíet ze niet eens. 'Hieronder mankeer ik niks,' meneer Java tikt hard op zijn glimmende schedel... tok tok. De jongen kijkt geschrokken naar hem op... zo hol als dat klinkt. 'Je moet je hersens kastijden,' legt meneer Java hem uit, 'hersengymnastiek, elke dag weer; hoe vaker een mens zijn hersenen gebruikt, hoe fitter ze worden. Als je niks doet en de hele dag zit te kaarten, zoals al die gekken hier, dan verdort en verschrompelt die paddestoel hierboven.' Weer zo'n idioot harde tik.

De patiënten sluipen de kamer uit.

'Ik heb hier veel lopen rekenen en het wordt tijd de uitkomsten toe te passen.' Hij lacht vreemder dan ooit. 'Moest jij niet naar de directeur?' vraagt hij aan moeder.

Kalm, kalm... ze gaat al.

Meneer Java neemt zijn pupil in vertrouwen: 'Let op, dit is alleen voor jouw oren: na zorgvuldige bestudering weet ik dat ik het kan. Het meeste rekenwerk is al door anderen gedaan, dat heb ik gewoon overgenomen, we hoeven ingewikkeldheden niet voor een tweede keer uit te vinden... Ik ontdek niet, ik pas toe! De detonatie is een kwestie van tellen, eindeloze reeksen getallen... maar ik ben eruit! Slechts één probleem blijft: wat doen we met de vrijgekomen neutronen. Er komen er twee à drie per splijting vrij. Gemiddeld! Hoe vangen we die op?' Weer een klap op die schedel... alsof hij op een kist klopt... en dan ziet de jongen het: als meneer Java met één hand op zijn hoofd tikt, slaat hij met de andere op iets hards achter zijn rug. Hij sjort aan zijn broek en tovert een groot hard boek onder de rugflap van zijn tweedjasje vandaan, tussen zijn riem gestoken, verborgen in de holte tussen bil en rug, de favoriete bewaarplek van meneer Java – altijd de handen vrij en niemand ziet dat je wat bij je draagt. Bij het openslaan tikt de kaft hard op de Deense tafel. Rijen getallen staan erin, cijfers keurig in de blauwe ruitjes, bladzij na bladzij. Hij laat zijn berekeningen inzien – niet te lang: 'Het gaat om de toepassing, laat het begrijpen maar aan mij over.' Hij slaat het boek dicht. 'Bomboek' staat er op het etiket.

Meneer Java heeft niet alleen maar staan rekenen, nee, hij heeft ook zijn handen laten werken. Er zat niks anders op, hij moest iets doen tijdens de verplichte uren arbeidstherapie. 'Het woord alleen al is een straf,' zegt hij. 'Wis het, vergeet het! Ik heb daar leren gutsen.' Hij trekt een vies gezicht. 'Met botte beiteltjes bomen in een stukje zeil krassen. Bomen met wortels. Lange wortels, diep gevoel. Ik dacht: Wat moet ik met een boom? Guts een bom.' Meneer Java fluit in het oor van de jongen... 'Tallyho, big bomb show...' Het oorvet trilt ervan na. 'Als dat geen therapie is,' zegt meneer Java.

De derde bom. 'Iemand moet hem maken. Iemand moet het evenwicht bewaren.'

Maar we zijn er nog niet, er knagen nog een paar kleine problemen. Meneer Java bladert weer door zijn berekeningen. 'De actieradius...' hij telt, de cijfers ratelen in zijn brein, 'hoe kleiner, hoe beter.'

De jongen gaat op in zijn rol van pupil: 'Een kleine, geen grote,' herhaalt hij, 'hoe kleiner, hoe beter.'

Meneer Java knikt tevreden. 'Je weet: een atoombom heeft een sterke reflector nodig, een pantser dat de explosie vertraagt. Zéér belangrijk. In ons geval moet het een heel sterk pantser zijn. Als dat lukt, is hij klaar.'

Er wordt op de deur geklopt. Een luide keelschraap en het kloppen houdt op. 'In deze ruimte wordt nagedacht, niet gekaart,' briest meneer Java richting sleutelgat. Om de daad bij het woord te voegen begint hij rondjes te lopen... op de kokosmat, om de kokosmat... hij verkleint en vergroot zijn actieradius... en stoot na de zoveelste ronde duizelig zijn scheen aan een Deense stoel: 'Rrraaaaassssss-mussen!'

Meneer Java pijnigt zijn hersens: de huidige waterstofbommen zijn te krachtig en te groot. Onhandig in vervoer: formaat potvis. De zijne zal draagbaar zijn: drie kilo en geen onsje meer. En de actieradius niet groter dan de kokosmat. Drie, vier en een halve meter? Wat een gereken, hij kneed en beklopt zijn schedel. 'Het is alleen nog een kwestie van de binnenkant,' zegt hij, 'de buitenkant heb ik af.'

Twee ongelovige ogen kijken hem aan.

'Zien?'

De jongen veert op.

Meneer Java slaat het bomboek dicht en verlaat de kamer.

De jongen legt zijn handen op het bomboek, zo lopen de sommen niet weg. Zijn handen plakken, de getallen in het bomboek gloeien. Nee, zijn hand opent het niet, zelfs geen kiertje, hoe graag het boek het ook wil. Hij streelt de gemarmerde snede: een rand van rode, gele, blauwe en oranje golven – de lucht na een atoombom. Hij kent de kleurenfoto's uit *Life*. Een verschroeide hemel boven een trillende zee... rood, oranje, azuurblauw... daaronder lag Eniwetok, het atol dat met één klap van de aardbodem is geveegd. Eerste proef met de waterstofbom. Eniwetok... het klinkt als een indianenwoord, een rooksignaal dat de hele wereld heeft verstaan. Meneer Java heeft hem die foto meer dan eens voorgehouden... trillende zee in trillende handen. En nu hebben diezelfde handen een waterstofbom gemaakt.

Daar klopt de bom op de deur. Hij zeilt de kamer in, aangestuurd door meneer Java's hand. En, zoals aangekondigd: klein. Maat makreel. Hij danst ermee in het rond. Draait rondjes op de kokosmat, rondjes om de Deense stoelen en tafel, om de krantenbak, hij walst met zijn atoombom. O, als de Russen dit eens konden zien! Zo gelukzalig als meneer Java kijkt!

'Voel eens, pak eens... zo licht.'

Het is een uit linoleum gesneden bruine bom. Meneer Java zeilt op de jongen af. Schatert. De jongen drukt zich stijf tegen de muur. Wat staat hij daar te tobben? Kom, dans mee! Begrijpt hij het dan niet? Meneer Java doet het allemaal voor hem. Hij hoeft niet bang te zijn. Het is een bom die zijn grenzen kent, een cirkeltje maar, niet groter dan de kokosmat, al heeft hij de kracht van duizend zonnen. Meneer Java streelt zijn bom. Zijn wang drukt tegen duizend zonnen. Een en al liefde.

de volgende zondag

Ze zijn bijna allemaal langsgekomen: ministers, kamerleden, partijbonzen, hoge ambtenaren, wapenhandelaren, een handvol professoren, een nieuwslezer of twee, vier-sterrengeneraals, politici, staatshoofden. Aap was uitgeno-digd en Mikojan en Chroesjtsjov. En nog een handjevol fellow-travellers en saloncommunisten, maar die hebben het laten afweten natuurlijk, de lafaards. Maar wie er was, brandde van nieuwsgierigheid. Enfin, het hele gezelschap de conversatieruimte binnengeloodst. Excuses gemaakt, dat het toch een beetje dringen werd, zoveel hoge pieten op één kokosmat. Licht uit en de demonstratie kon begin-nen. De bom ging rond, op de tast – geen details: staats-geheim, dat konden ze begrijpen –, hij werd op gevoel ge-wikt en gewogen, de plussen en de minnen werden in alle talen doorgenomen. Iedereen moest hem even vasthou-den, de handzame bom. De kapitalisten wilden hem blind kopen. De socialisten wilden hem allemaal tegelijk beet-pakken, zodat geen van hen hem in handen kreeg. En toen de deur op slot. De ramen vergrendeld. 'Rustig blijven, he-ren,' riep meneer Java, 'heb vertrouwen in de vooruit-gang!'

De explosie was ronduit indrukwekkend. De knal oorver-dovend, gevolgd door een prachtige paddestoel. Meneer Java tikt tevreden op zijn schedel – een bescheiden geluid ditmaal. Hij vertelt met smaak over het heerlijk frisse windje daags na de explosie. Nauwelijks fall-out. Behalve dan de troep die de politici achterlieten: niet om aan te pakken. Maar verder was de wereld er een stuk schoner op geworden.

Wel zonde van al die belangrijke mensen.

Meneer Java fluit een deuntje en kijkt parmantig in het rond. Het deuntje krijgt woorden. 'Pour fabriquer une bombe "a", mes enfants croyez-moi, c'est vraiment de la tarte... Hahaha.' Bij herhaling gehoord op zijn liedjes-radio. Hahaha, meneer Java was er zonder kleerscheuren

afgekomen. De Deense tafel heeft toch nog nut gehad...
Duck and cover – niemand hoeft het boegbeeld van de Bescherming Burgerbevolking te vertellen hoe hij zich beschermen moet. Hij is *bombproof.*

En nu wil de arbeidstherapeut er het fijne van weten. 'Maar ik doe natuurlijk net of ik gek ben.'

moord

De spiegelpiloot stelt voor: Waarom doen we het niet samen? Mijn p-38 staat voor je klaar.

Het zal een lange vlucht zijn, maar ik ken de weg. Geld is geen probleem. Proviand genoeg. De vraag is alleen: hoe doen we het? Op hoogte binnenvliegen, onzichtbaar boven de wolken, een duikvlucht en de hele kist leegschieten? Verkeerde tactiek: Aap heeft een bomvrije kelder. Je moet bij hem binnen zien te komen... Een nylondraad boven aan de trap, dat is een beproefde methode, zo laten ze elkaar in het Kremlin struikelen. Aap heeft vast een imposante trap, een staatsietrap zoals je die in de krant wel meer bij dictators ziet. Een onzichtbare draad, een centimeter boven de bovenste tree... Aap wil naar beneden en holderdebolder... nek gebroken. Pistool tegen de slaap kan ook, maar het blijft lastig. Kogels maken lawaai en hoe verdwijn je na het schot? Paleiswachten grijpen je bij je kladden en je hangt. Nee, het moet stil, er hoeft er maar eentje dood en dat is hij. Het mes is een geliefd wapen in die streken. Modder op je gezicht en achter het bamboe liggen wachten tot hij langsloopt... opspringen en mes in zijn nek. Even wrikken, slagaderlijke bloeding en dood.

De jongen oefent vast op zand. Niet op het mulle, maar op de vochtige harde laag daaronder. Hij schraapt een stuk schoon, trekt lijnen met de punt van zijn zakmes, zoals bij landjepik, tot er een smalle strook overblijft. Dat is de nek. En nu mikken, in het midden en in één keer raak, met vaste hand... Trillend belandt zijn mes in de nek van de landdief. Het zand spat op. Wat een nek!

Het bloed van Aap kleeft in het kerfje van zijn zakmes... met dat bewijs zal hij terugkeren. Redder van het vaderland. Naast de koningin in de koets.

De jongen ligt op zijn rug tegen het duin, in de lentezon, het schrift met de spiegelpiloot op zijn buik. Er moet iets gebeuren. Maar niemand doet iets! Als meneer Java niet zo zwak was, zou die het doen. Aap is weer in het nieuws, zijn grijns staat dagelijks in de krant en meneer Java wordt steeds gekker. Actie! Die Aap gaat eraan...

De jongen krast met zijn mes in het zand, krast die grijns van dat smoel. De grijns van een veelwijver... *'En wat doen we met Soekarno als-ie komt? Ja, wat doen we met Soekarno als-ie komt? We hakken hem in mootjes, ja, we hakken hem in mootjes. Dat doen we met Soekarno als-ie komt...'* Zo zingen ze het op school, maar hij, meneer Java's pupil, zingt het niet alleen, hij zal het ook doen! En Soekarno komt niet naar híer, hij en de spiegelpiloot komen naar dáár! Opnieuw stoot zijn mes diep in het zand, zijn vuist gloeit, het zand brandt, snijdt in zijn vlees. Hij bijt en spuugt op Soekarno de Aap.

Moe van de haat laat hij zich op de dode dictator vallen. Dooddenken kon hij hem, of doodbidden. Als hij zich goed concentreert, zendt hij bliksemschichten uit, atoomstralen, hemelsbreed tot diep in Soekarno's hersenpan, dwars door zijn zwarte bloempotpet heen. Bommen vliegen uit zijn hoofd, bommen op *bung* Karno.

Of zullen ze zijn paleis met een vergrootglas verschroeien? Er staat nog een fles rattengif in de paardenstal, en de bijl, hij is nooit bang met de bijl... en zo valt hij in slaap met gebalde vuisten. Held van het volk. Held van meneer Java.

droom

Moeder en de meisjes roepen om hulp, ze liggen ziek in de schuilkelder. De jongen houdt de wacht bij het luik. Hij draait een blik scheepsbeschuit open (houdbaar tot na de derde wereldoorlog), vult de ketel met de waterflessen – het water uit de kraan is aangetast – en stookt de spiritusbrander op. De Keulse pot met ingezouten snijbonen is leeg, de schimmel staat in de weckflessen. Thee en beschuit is het enige dat hun magen nog verdragen. Eerstezus houdt lijkbleek haar mok omhoog, ze verliest bloed, haar nachthemd is rood. Ze kotst op de sprei, moeder en de andere twee meisjes ijlen op hun strozak. Ze hebben koorts, hoofdpijn. Ze rillen. De jongen pakt een vaatdoek en ruimt de rommel op. Buiten is het dag en donker, een warme regen sijpelt door de keldermuren. De natuur is in de war. Meneer Java klopt op het luik, hij is naar het dorp geweest om de laatste instructies in ontvangst te nemen. Er loopt een straaltje bloed uit zijn oren. Alle contacten zijn verbroken. De rubberbanden van de bb-jeep zijn gesmolten. Meneer Java knielt voor eerstezus, maakt haar gezicht met zijn linnen zakdoek schoon en geeft haar een zoen. Ze omhelzen elkaar. Buiten roffelen de paarden.

het steentje

Meneer Java zit voor het raam, hij geniet van de zon achter glas. Hij speelt met een steentje, gevonden in de tuin van Schild en Heil, een rivierkiezel. De jongen staat achter hem. 'Wat een weg heeft zo'n steentje niet afgelegd,' zegt meneer Java. Hij gooit het op, wrijft het warm in zijn handen, weegt het op de palm van zijn hand.

De jongen laat het beeld in zijn geheugen branden: meneer Java in pyjama, spelend met een kiezelsteen... in een groen lentelicht, op een kale houten stoel... Zo mager en broos als hij daar zit. Een kleine rare man. Voor het eerst in zijn leven is de jongen niet bang voor hem.

'Jongen, weet je waar ik zin in heb?' vraagt meneer Java zonder om te kijken, hij gooit het steentje op. 'Een onbedwingbare zin.'

'Nee.'

'Om dat steentje keihard naar je kop te gooien.' Meneer Java lacht.

De jongen is weer bang.

een warme dag

'Er trompettert een olifant in mijn hoofd,' zegt meneer Java tegen de jongen. 'Hoor je hem kraken, ruik je hem...? Olifant. God, wat stinkt-ie. Wij hadden er twee, vroeger. Boomstammen slepen, terrein vrijmaken na een storm of tropische regen. Het zware werk. Ze ruimden op, maar maakten ook vuil. Als die een drol lieten vallen, hoorde je het van verre donderen. Drollen zo groot als theemutsen. Maar heilig... Afblijven, de drollen waren voor de verzorgers. Elke olifant had zijn eigen verzorger. En elke verzorger zijn drol. Ze voedden hun dier, gingen ermee naar de rivier, wasten hem, poetsten zijn tanden en... ze waakten over zijn drollen. Elke drol kreeg zijn eigen vlaggetje. Want in elke drol broeide een delicatesse die op de markt heel wat waard was: een mestkever. Zonnetje erop en wachten tot hij zichzelf had vet gevreten en voldaan naar buiten kroop. En dan meteen spietsen en roosteren boven een bamboevuurtje. Tot hij uit zijn jasje knapte. Bij een rijke oogst schoot er weleens een kever voor ons over. Wij kinderen vochten om die lekkernij. Ach... die smaak, als ik daaraan denk... Op zo'n mooie, onverwacht warme dag als vandaag hoor ik ze onder mijn schedel krabben... Naar de zon hunkerende kevers die ontsnapping uit hun mestvaalt zoeken.' Meneer Java likt er zijn lippen bij af...

'*Getjank, getjank,*' zegt hij en hij springt op de wagon van zijn herinneringen.

De jongen rijdt niet mee, hij blijft verstomd achter.

Moeder zegt dat er op Java helemaal geen olifanten waren.

de zwemmer

'Zo, kon het er nog af?' vraagt meneer Java als hij ongeschoren de deur van zijn kamer opendoet. 'Een uur te laat! Ben ik afgeschaft? Begint het al zo te wennen dat ik niet meer besta? Er zitten hier mensen vijf jaar te zitten en elke zondag bezoek ja.' Het schuim spat om zijn mond. Zelfs de theekar ging aan zijn deur voorbij: 'En de zondag is toch al zoveel leger dan de doordeweekse dagen.' Hij draait zijn bezoek boos de rug toe. 'Hou jullie jas maar aan, zo meteen luidt de bel en moeten jullie weer weg.'

Middelzus en derdezus zetten een zware mand op zijn bed. Ja, ze zijn meegekomen... voor het eerst na maanden en kijk eens hoe blij meneer Java is?

'Neem die mand maar mee terug.' Hij kijkt kwaad de andere kant op.

'Vruchtenkoek, appeltaart!' De meisjes duwen twee bakblikken onder zijn neus.

'Er valt hier niets te vieren.'

'Dan eten wij ze op,' zegt moeder, die zich puffend van haar mantel ontdoet, 'we hebben verdikkie twee uur in die stinkende boemel gezeten, er liepen koeien op het spoor.'

En waar is eerstezus?

Te druk. Eindexamen. Het spijt haar zo.

Moeder legt de post op zijn schoot. Meneer Java laat de brieven tussen zijn benen vallen: 'Slappe smoesjes.' Hij biedt geen stoel aan, niks. Moeder en de twee meisjes gaan verveeld op bed zitten, jassen in de rug. De jongen pakt zijn boek en buigt zich over een bladzij die niet tot hem doordringt.

Meneer Java mokt. Moeder heeft met hem te doen, zegt ze, dat het zoveel langer duurt. Ze voelt zich schuldig, maar wat kan ze eraan doen?

'Niks, niks,' bromt meneer Java.

De zon valt door het smalle raam. Schaduwbladeren wiegen op de muur. Het bezoek kijkt rond, eet koek, plak na plak, ook de appeltaart gaat eraan – wie eet hoeft niet te praten. Tegenspreken is onveilig.

'Waar is de radio gebleven?' vraagt moeder na een tijdje.

'Weggehaald, op last van de directeur. Een raadsel hoe hij het kon weten...' Moeder bestudeert het plafond. 'Ze luisteren hier wat af,' zegt meneer Java, 'maar ik heb nu iets voor de wel zeer goede verstaander: muurtelevisie.'

Wat? Waar?

'Daar!' Hij wijst naar de plek waar het zonlicht het behang raakt: 'Mijn mooi-weerzender. Goed en goedkoop.' Een gemeen lachje komt over zijn lippen. Meneer Java verschuift zijn stoel en gaat met zijn rug naar het bed zitten. Ja, ze mogen over zijn schouders meekijken. Hij veegt met zijn mouw het stof uit de zon. Schoon beeld. 'Vandaag: Jungleman! Tatatatataaaa!' Meneer Java kondigt zichzelf aan. Onzichtbare muskieten zwermen uit de muur. Hij mept er twee dood. Moeder trekt de band om haar knoet strakker en kijkt op haar horloge. De twee meisjes stoten elkaar aan.

Minuten verstrijken.

Er groeit inderdaad iets in de benauwde kamer. De jongen ziet het ook. Niet op de muur die meneer Java met zijn verzinsels heeft behangen. Nee, het groeit in meneer Java zelf... op zijn gezicht, de plooien om zijn ogen verdwijnen, zijn kin verstrakt, zijn gezicht wordt glad en glanzend als een beeldbuis, als de pillen uit het potje op zijn nachtkastje. Een andere meneer Java zit op de stoel, alsof hij zichzelf verruild heeft voor een jongere man.

'Je ziet dat het pad door de jungle telkens moet worden opengekapt,' zegt hij, 'elke tocht weer.' Zijn vinger volgt de zonnevlekken – bergpaden: 'Toch waren we niet de eersten, velen gingen ons voor.' En daar, achter die schaduw, loopt hij... Klewang rechts in de hand, riempje om de pols, karabijn links achter op de rug. Allebei op scherp... marcheren maar. Voor zonsondergang binnen zijn.

De jongen kent meneer Java's kopkrachtreizen. Voor zijn opname in Schild en Heil trok hij er wel vaker op uit, als hij met zijn handen in zijn zakken voor het raam stond en naar dingen keek die je buiten niet kon zien. In het begin was de jongen jaloers geweest, bang ook dat meneer Java zich nooit meer zou omdraaien, dat hij verstijfd voor het raam zou blijven staan, met zijn rug naar de kamer, voorgoed afgereisd naar een binnenwereld waar hij geheimzinnige mensen ontmoette. Steeds verder leek hij te gaan... Toch keerde hij altijd terug, rustiger en dikwijls opgewekt. De jongen heeft geleerd met hem mee te reizen, hij hoeft er niet eens voor naar die warme muur te kijken. En ook nu ziet hij de film bij het verhaal dat meneer Java vertelt... Soldaten wadend door de rivier en omhoog en daarna te voet de bergen in, op weg naar een afgelegen buitenpost, drie dagreizen ver. De zon schittert op zijn schedel... het is een zware tocht voor hem en zijn mannen, maar nog zwaarder voor de gevangenen die ze daar moeten afleveren. 'Communisten...'

'Opstandelingen,' verbetert moeder, die tegen haar zin

zit mee te luisteren. De meisjes trekken gekke gezichten en drukken demonstratief hun handen tegen hun oren.

'Ze vergaan van de dorst,' zegt meneer Java, 'ze smeken om water, zwikken van uitputting, houden zich aan elkaar vast, been aan been geketend. Het pad is smal, als er één valt, sleurt hij alle anderen mee.' Meneer Java kijkt vanaf zijn stoel naar beneden.

De jongen schat de afgrond...

Meneer Java trekt zijn benen op. 'Daar glijdt er een,' roept hij, 'over een losse steen, hij pakt... nee, te nat, te glibberig, daar gaan ze, een voor een. Ze vallen, ze vallen!'

De meisjes houden hun gespeelde doofheid niet langer vol. Derdezus rammelt met de pillenpot. 'Leuk hoor,' zegt middelzus koel. 'De directeur zei toch dat dit op zou houden.'

Moeder dwingt meneer Java de andere kant op te kijken, weg van de muurtelevisie. Ze rukt aan zijn stoel. Maar hij duwt haar opzij – uit zijn beeld – hij grijpt naar ketens die uit zijn handen glippen. 'Je raaskalt,' zegt ze, haar knot wipt mee. De meisjes gaan vlak voor hem staan: 'Rustig, rustig, diep ademhalen.' Maar hij rukt zich uit de rokken los... kapt zich vrij en laat zich op bed vallen. Hij trekt de dekens open, klauwt met zijn handen in de lakens, duikt met zijn hoofd onder de jassen. De meisjes proberen hem te kalmeren, pakken hem bij zijn jasje, broekspijp... meneer Java trapt ze van zich af... Ze kijken naar de striemen op hun armen, hulpeloos... Sniffend rennen ze de gang op. Ze gaan een dokter halen.

'Bah,' zegt moeder geschrokken van de kleur van matras en lakens, 'ze verschonen hier niet.'

Meneer Java zwemt onder de jassen en lakens. Een vuile-sokkengeur spat op.

De jongen verschuilt zich achter zijn boek... het is de eerste keer dat hij meneer Java in een vis ziet veranderen. Veranderingen is hij gewend: schokkende schouders, trillende oren, gehinnik – kleinigheden, stuiptrekkingen –, maar nu zwemt daar toch echt een vis met schubben van tweed. Beweeglijk en vrij. Het bed is een rivier geworden, het water ruist in de lakens.

Moeder gaat er gelaten bij zitten, zij weet het ook niet meer. 'Hij beleeft mijn nachtmerrie,' zegt ze. '*Ik* heb gevangenen in een ravijn zien storten, *ik* liep met soldaten door de bergen, een pad kappend in het halfduister, achter de klewang aan en... Ik heb het hem zo vaak verteld... Híj? Pfft... hij durft niet eens een mes vast te houden. Hij steelt mijn verhalen.' Ze kijkt het gespartel vol deernis aan.

Meneer Java vreet zich door het tijk. De kapok komt vrij. Hij zwemt in een stroomversnelling. Witte golven kolken over de rand. De zon valt weg.

Stoel een stukje achteruit... Droog blijven. 'Ik geloof dat het weer tijd wordt voor een spuitje,' zegt moeder met een scheef oog naar de deur. 'Ga jij eens kijken waar de meisjes met de dokter blijven?'

zwijgend album

De jongen haalt het fotoalbum van meneer Java uit de kast en neemt het mee naar zijn kamer. En daar, op bed, laat hij de gelijmde rug ongestoord kraken, de spinnenwebbladen tussen de foto's ritselen, zijn vingers door de natuur bladeren. Maar het oude Indië wil niet in beweging komen, het mist de tekst en uitleg van meneer Java... de vlerkprauw blijft in de modder steken, het rubber stolt, de Hispano Suiza verstart.

Zijn wijsvinger streelt de vrouwen: de tennissters, rallyrijdsters, amazones, de wandelaarsters in het hoge gras, de danseressen onder de palmen. De vrouwen die meneer

Java erdoorheen sleepten. Waar blijven ze dit keer? Ze glimlachen. Ze steken geen hand uit. Ook niet als hij ze knijpt... hun rokken verscheurt, de paarden in stukken rijt, het tennisnet wegtrekt en de sepia tuinen in duizend stukken versnippert. Ze geven geen kik als de jongen de restanten van hun leven mee naar het duin neemt en er een vuurtje van stookt. Vlammen lekken om hun veranda's. Avondjurken schroeien weg. Heuvels koffie en thee staan in brand. De Krakatau krult op. Een stoomboot rookt een flinke sigaar. De evenaar verdampt...

Tropische hitte.

De spiegelpiloot fluistert: 'Steek je vinger in de vlam, dan ben je een man.'

De jongen doet het. Even maar.

Dan pist hij op de as. Er stroomt een donkere rivier in het zand.

rijst

'Ik verlang zo naar felle kleuren,' zegt meneer Java dof, 'trek de volgende keer alsjeblieft iets anders aan, mijn ogen komen te kort.' Hij kijkt afkeurend naar moeders grijze mantelpak, struis en kreukvrij, zelfs na een vermoeiende reis. 'Alles in dit gebouw is crème en grijs... de wanden, de plafonds, gangen... Als ik hier nog langer blijf, verven ze me vanbinnen ook kremgrijs.' Hij braakt het woord uit: 'Kremgrijs! Zelfs het tot snot gekookte eten hier is kremgrijs. Ik moet zo snel mogelijk weg.'

'Hou nou nog even vol, maak die nieuwe therapiekuur af. Dan krijgt het leven vanzelf weer kleur.'

Meneer Java tikt op zijn schedel (het oude gebaar): 'Ik ga me inleveren.' Hij kijkt kwaad naar de flesjes, potjes en poeders naast zijn bed. 'Geen kopkracht meer,' zegt hij tegen de jongen.

Moeder haalt een pan nasi goreng uit haar tas, om de snotkeuken van Schild en Heil mee aan te vullen. 'Gebakken rijst...' mijmert meneer Java, dat heeft tenminste smaak en kleur.

Ach, hoeveel lekkerder was rijst daar dan hier... Daar, waar de rijst groen in het water groeit. Daar, waar na het drogen en wannen de rijstevliesjes door de lucht zweven. De berg rijst op de binnenplaats... het vullen van de zakken en dan je hand erin steken en de korrels onder je nagels voelen... Moeder en meneer Java mijmeren samen weg op hun hardhouten stoelen. De jongen hangt op bed en ziet hun ogen stralen, ze kijken omhoog, voelen de zon. Meneer Java beschrijft het getik van droge rijstkorrels in een pan – de enige regen die hun aangenaam in de oren klinkt.

En de lucht... 'Daar was de lucht blauwer, waar je ook keek.'

'En hoger, zulke hoge witte stapelwolken heb je hier niet.'

'Soms was het geen wolk maar een zwerm ibissen...'

'Die geur vergeet je nooit.'

'Zie je wel dat je nog genieten kan,' zegt moeder.

Meneer Java steekt een sigaret op, ze nemen om beurten een trekje en blazen hun eigen wolken... Moeder krijgt een blos, van de herinneringen en het gedeeld geluk, maar meneer Java trekt witter weg dan hij al is, perkament wordt hij, witgeel als de gezichten in het verbrande familiealbum: 'Er heeft er zich weer een...'

'Niet aan denken, jij leeft.'

'Van maar vier meter hoog.'

'Jij bent onbreekbaar.'

'Vroeger, ja.'

'Denk aan wat je straks weer kunt gaan doen.'

Meneer Java zwijgt.

'Er moet iets zijn waar je naar verlangt.'

'Bedienden,' zegt meneer Java mat, 'lekker veel personeel.'

'Dat heb je hier al,' zegt moeder, 'nee, iets waar je thuis
naar kunt verlangen.'

Meneer Java stut en hamert zijn hoofd... wat, ja wat: 'De
zakken van mijn broeken en jasjes met de stofzuiger uit-
zuigen', daar verlangt hij naar. Hij mist het mooie geluid
van de zuigtuit die de voering van een binnenzak inslikt:
plupferflfffplepf.

'Je kunt een cursus gaan volgen,' helpt moeder.

En alle brieven op stapeltjes leggen... ja, dat zou hij ook
graag willen; moeders suggesties gaan langs hem heen:
'Stapel ingaande en stapel uitgaande post. Het huis vim-
men. Alle beschadigingen wegtippen. Wc repareren. De
haarkammen van de meisjes in de ammoniak wassen....'
En zijn nagels in het bad weken en daarna knippen. Tien
halvemaantjes – zonder te breken. Dat is hem in Schild en
Heil, waar hij maar één keer in de week drie minuten mag
douchen, nog nooit gelukt. Mooie maantjes knippen, daar
verlangt hij naar. En de eethoek behangen. Hij knijpt zijn
ogen erbij dicht, wenst het in alle hevigheid: meneer Java
materialiseert een spiksplinternieuw huis.

Maar het liefst zou hij in de hitte languit onder een brede
donkergroene bladerboom liggen – een dak waar de zon
door glipt – en wachten tot de avond windkoelte brengt.

'Ja, de tuinen,' zegt moeder en ze probeert het nog een
keer: 'Je kunt gaan tuinieren, rozen kweken.'

Theerozen. Mooi geel. De kamer sprankelt van verlangen. Herinneringen schieten over en weer, sneller dan de
snelheid van het licht. En dan komen de demonen weer:
'Mooie gele stofdoeken, die zie ik ook zo graag, en het
stoffertje, ach, hoe zou het met mijn stoffertje zijn.'

Meneer Java geniet. Moeder zoekt een zakdoek voor haar
tranen.

De jongen flikkert de pan goudgebakken rijst uit het raam.

een volle koffer

Welke kleren neemt de jongen mee? Zijn rooie bloes. Blóés? Moeder kijkt hem aan alsof er een vreemde voor haar staat: 'Zeg je nog steeds bloes? Overhemd is mannelijker.'

Kousen? 'Zeg: sokken.'

Korte broek? 'Doe ook maar een lange, er zijn daar veel vliegen. En je mooie jasje?' Veel te zondags voor op een boerderij. 'Het is daar meer zondag dan bij ons.'

Ceintuur? 'Hè rare, dat noemen jongens een riem.'

Overgooier? 'Hoe kom je daar nou bij? Zoiets heet pullover!'

Hij noemt kleren bij hun vrouwennaam. Als hij straks onder echte jongens komt zal hij op zijn woorden moeten letten. Zijn hesje gaat dus mee als spencer en broekjes worden ondergoed, een shawl das, en zijn vogeltje? *'Pik,'* zeggen de knechten op de schillenboerenpaardenwei. Pik gaat ook mee. De jongen wordt groot.

Zijn zondagse lange broek is te kort, met hoogwater kan hij daar niet aan komen. Om zich ervan te vergewissen dat hij wel degelijk in zijn lichaam zit, neemt moeder zijn maten met de centimeter op en zet zich onmiddellijk achter de trapnaaimachine om een nieuwe lange broek uit een van haar oude rokken te maken. Zijn lengte gaat alleen maar uit een Schotse rok met rood-blauwe ruiten.

Moeder mishandelt de stof, ze heeft haast. Ze weet dat ze een hard besluit heeft genomen, maar zo kan het niet langer. De situatie is onhoudbaar. Wat dat joch de laatste weken niet heeft uitgehaald! Hij is onhandelbaar... dat met die pan... en hij steelt, bedriegt de boel, spijbelt, toont een ongezonde nieuwsgierigheid. Ja, hij heeft de geheime laatjes van meneer Java's schrijfbureau opengebroken, paperassen door elkaar gegooid, de effectenkist met een hamer bewerkt en erger: hij heeft zijn schemerlampglobe (waar de schaduw van meneer Java over de evenaar hangt) met de bijl in tweeën gekapt... een verjaarscadeau nota bene! En waarom? Weet hij niet. Hij zocht iets voor school. Verveelde zich.

Wat dat joch nodig heeft, is een harde hand. Sterke mannen waar hij een voorbeeld aan kan nemen. Moeder heeft met school gesproken en daarna haar boerenfamilie gebeld. 'Zet maar op de trein,' zeiden ze daar in de klei. Zij zullen weleens een gezonde jongen van hem maken.

En nu ligt de koffer met open bek op zijn bed. Propvol mannenkleren, de schooltaken zijn al ingepakt, de spiegelpiloot verschuilt zich onder de nieuwe Schotse broek. Moeder reddert en strijkt en als ze even niet oplet, besluiten twee tientjes uit haar huishoudportemonnee ook met de jongen mee op reis te gaan. Dat is geen diefstal, maar voor nood, voor als hij zich op vreemde grond moet vrijkopen.

Wat eveneens mee moet, is een waslijst goede raad.

– Niet op zijn tong zuigen. 'Krijg je een pruillip van, hoort niet bij jongens,' zegt moeder.

– Niet huppelen. Moeder bedoelt: niet de ene voet voor de andere zetten en even opspringen.

– Geen verkleinwoorden gebruiken. 'Zo praat een kerel niet.'

– Zijn neus wat minder laten spreken. 'Dus bij een paardenvijg op straat denken: Hé, wat een heerlijke pol gras groeit daar!'

– Ophouden met krabben en pulken. 'Worden andere mensen zenuwachtig van.'

– Spiegels voorbijlopen. 'Je wordt er echt niet mooier op door naar jezelf te kijken.'

– Geen gekke bekken trekken. 'We zijn hier niet aan het toneel.'

– Bescheiden blijven. 'Je bent op je best als ze niks van je merken.'

De meisjes staan er grijnsknikkend naast.

Moeder bindt hem een label om de nek met aanwijzingen voor de conducteur, ze heeft te veel aan haar hoofd om de jongen zelf naar haar familie te brengen en daarom verstuurt ze hem als levend pakket. Ja, het wordt een reis vol risico's: hij is de eerste uit haar gezin die bij de boeren gaat logeren. 'En als je het verpest,' zeggen de meisjes, 'verpest je ook onze erfenis.'

De koffer is te klein voor zoveel goede raad.

in en om de boerderij

Het zout van de zee zit nog op de buitenmuren, een meterhoge witte rand, verder is van die hele Watersnood geen barst te zien – na vier jaar heeft moeders familie de zaken weer aardig op het droge. Maar er is water genoeg in en om de boerderij: plassen, modderpoelen en vette druppels op het gras, hele emmers zeepsop mikken ze over de keukenvloer, het doet ze niets dat de tafel natte poten krijgt. Flinke schrobbers zijn het, daar zou de jongen nog van kunnen leren, maar de stank in zijn neus spoelen ze er niet mee weg. Hij niest van 's morgens vroeg tot 's avonds laat. Als een tante, oom, neef of nicht maar iets te dicht bij hem komt, proest hij ze van zich af. Het zijn de atomen van mest en koe en varken in de lucht, zegt hij. Nee, hij vindt de boerderij niet vies – heus waar, echt niet – hij ziet toch zelf hoe schoon ze op hun kleren zijn. Elke dag wap-

peren ze fris aan de waslijn: blauwe overalls met meter-
lange gulpen, onderbroeken in koeformaat, beha's waar je
in weg kan roeien, nachthemden, en grote peulen klappe-
rend in de wind – sousbras zijn dat, die naaien de vrouwen
onder hun oksels om het zweet van de dag in op te vangen.
De jongen heeft er al één gepikt en nou zijn jekker nog terug. Zijn vliegenierskraag jaagt hier door het koren, neef
Meeuwis beschouwt hem als zijn eigendom. Ze azen ook
op zijn Schotse broek, tante vindt hem te stads en hij
moest hem na aankomst meteen uitdoen. In ruil kreeg hij
een overall – met hoogwater.

Na de werkdag is de boerderij een komen en gaan van
buren en dorpsgenoten – iedereen is familie, ook van
hem. Ze lijken allemaal op elkaar: korte benen, zwarte haren. Een herinnering aan de Tachtigjarige Oorlog, zeggen
ze; de Spanjaarden hebben in West-Brabant vreselijk huisgehouden en sindsdien is de groei in het dorp onder de
maat. Zo lang blijft een oorlog dus hangen, maar zíj hoeven hun bord niet tegen heug en meug leeg te eten. Kliek-
jes gaan naar de varkens.

Hun namen zijn sinds de Spaanse overheersing ook stil
blijven staan. Het halve dorp deelt een en dezelfde achternaam en wie daarbij hoort, mag uit vijf voornamen kiezen,
dat gaat al eeuwen zo. De familie is onderling nauwelijks
uit elkaar te houden! Het is Huibert met de bok, of Huibert
met de oren, en Marie van achter de kerk, die weer naast
Arjaan van Marie aan de werf woont, een nicht van Marie
van Meeuwis van 't heike... De jongen verdwaalt in zijn ver-
wanten. 'En jij bent er ook een van ons, niewaar hé?'

'Wij zijn Indisch,' zegt hij.

'Ach, stel je niet zo an.' Ze lijven hem in. Of hij het nu
leuk vindt of niet: hij heet naar hen.

Hij moet zelfs het bed met ze delen. Elke avond stompen
hij en neef Meeuwis elkaar naar de linker- en rechterkant

en 's morgens worden ze in het midden wakker. Meeuwis zit onder het eelt, hij is ouder en sterker, maar een schrijfbult heeft hij niet. Zijn hardste plek is de paal waarmee hij elke morgen wakker wordt.

Na lang zeuren mag de jongen hem helemaal zien: het klopt, het is rood, heeft blauwe aderen en het stinkt. Er zit een glinsterende druppel op. 'Jesses,' zegt de jongen.

'Je mag niet vloeken,' zegt Meeuwis.

De Spanjaarden mogen moeders familie dan klein hebben gehouden, aan pik komen ze niet te kort. Moet je die van zwarte Huibert zien! Elke dag voorstelling in de schuur, daar kleddert hij in een handomdraai witte vlokken in het hooi. Goed voor de muizen, zegt-ie.

Met diezelfde handen bidt hij onder het avondeten tot God en dankt hij voor de rijke overdaad. Oom Huibert (van tante Marie van Arjaan) en tante Marie (een nicht van Huib met de oren) knikken hem daarbij bemoedigend toe. Wat op tafel komt is 'spijs voor ons zondig hart'. Ze zijn nog fijner dan tante Mijntje (een nicht van tante Marie van achter de kerk die weer van de tak van Huibert met de oren is). Het is Here voor en Here na.

Onder het bidden kan de jongen zijn familie goed bestuderen: hun verweerde nekken, opgetrokken schouders en al die lijnen in hun koppen. Gezichten die naar ruwe geluiden staan, naar het krassen van ijzer op cement, het gepiep van pompen, gepies van uiers in lege emmers, geklos van klompen, geboe, geblaat en gekakel – zulke geluiden trekken in je vel.

Als ze eten hoort hij de melk in hun bekers schuimen en de varkenspoten dansen in de soep; de vette bonen krijgt hij zelfs met kopkracht niet naar binnen, maar tante merkt het niet: wat hij niet lust kapen de neven van zijn bord en oom Huibert prijst haar keuken.

'Zijn deez nog van november?'

'Nee, die zitten in de weck.'

'Hoe kan dat nou?'

'Deez zijn met de pacht van Leendert meegekomen.'

'Gelijk met de errepels?'

'Ja, 't zijn beste errepels hé.'

'Ik eet ze gêrre, Marie.'

'Als ge nie gêrre eet, Huibert, dan smekt 't nie hé.'

'Maar 't smekt hé.'

En dan smekken ze allemaal.

De neven laten de jongen ook in het eten werken. Appels keren op de droogzolder, de moestuin schoffelen – waar hij stiekem in de spitskool knijpt, de raapstelen aait en de tuinboonplantjes moed inspreekt, want oom Huibert vreest dat ze het niet zullen trekken op de halfzoute grond. Als hij in de aarde wroet, voelt hij zich een echte boer. Hij zou een goede planter kunnen zijn – in Indië, als ze het nog bezaten. Bij het spenen van de spinazieplantjes maakt hij zich zelfs wijs in het rijstveld te werken. Dat lichte groen, de blaadjes zoekend naar het zuiden... Ja, dan mag de zachte regen hem doorweken en is hij trots op de zwarte randjes onder zijn nagels. Maar bij het schrobben van een houten trapleer (waarop varkens worden vastgebonden, gekeeld, en ondersteboven moeten leegbloeden), met dezelfde borstel waarmee ze in kokend water zijn onthaard, kotst hij op zijn handen. 'Ach meid, das heel normoal allemoal,' zegt neef Arjaan.

Geen dag gaat voorbij of de jongen leert iets nieuws. Wat hij niet opsteekt uit de Schrift! Elke avond na het eten lezen ze er om beurten uit voor... zoveel oorlog en ellende haalt zelfs meneer Java niet uit de krant. De kamp van de Here is andere koek dan het kamp in de tropen. En geen man aan tafel die er zenuwachtig van wordt. Wie gelooft kan beter tegen een stootje – dat is les één. En het paradijs ligt niet op de evenaar, maar hemelhoog daarboven – les twee. En 'vroeger' is geen ander land, het andere land ligt in de toekomst, daar reis je heen na je dood – les drie. Wie sterft gaat er alleen maar op vooruit – ook díe levensles krijgt de jongen onverwacht in zijn schoot geworpen.

De jongen boft: ene oom Leendert is overleden, op zijn zesennegentigste, na een lang ziekbed. Het is een ver familielid, al woont hij om de hoek, maar met te veel land om je schouders over op te halen. De Here zij geprezen. Nadat oom Leendert in gebed flink is opgehemeld, gaat het hele gezin op bezoek in het sterfhuis en de jongen mag mee, om namens moeder 'respect te betuigen'. 'Hij ontvangt in de kist,' zegt tante.

De jongen huppelt naar het buur-erf, dit wordt zijn eerste lijk! Buiten wacht hem nog meer familie. Ze openen hun rijen voor hem, sluiten hem in, nemen hem op: vreemde jongens, flinke meiden die hem met hun ogen keuren, ooms en tantes met harde handen... Ja, hij is er een van 'Wilde Marie'. Binnen wordt hij aan in het zwart geklede mannen en vrouwen voorgesteld: familie van over het graf – fijner dan die bestaan er niet.

De kist met oom staat in de opkamer en ook daar is het zwart van de mensen. Als de jongen het deksel tegen de muur ziet staan, maakt hij rechtsomkeert, maar een dienstmeisje met een schaal vol krentenbrood duwt hem terug de kamer in. 'Hij bijt niet hoor,' zegt ze. En terwijl ze met de rechterhand de schaal ophoudt, leidt ze hem met de linker naar de kist.

Oom ligt er keurig bij. 'Ik heb zijn schoenen gepoetst,' zegt het dienstmeisje. 'Met Nivea, dan glimmen ze het mooist en blijven ze langer goed, want ze zullen het zwaar hebben onder de grond.' Het meisje lacht hem vrolijk toe en presenteert hem haar laatste plak.

De jongen kijkt met volle mond naar oom... die lustte ook wel krentenbrood, zo aan zijn pens te zien, hij ligt er zeer bol bij. In zijn kerkpak, met drie knopen van zijn jasje dicht. Dat zou meneer Java nooit goedkeuren, alleen de middelste knoop mag dicht. Oom heeft een envelop in zijn hand. Wat zou erin zitten? 'Geld voor de overtocht,' denkt een neef.

'Een brief voor aan de hemelpoort,' weet een nicht.

'Nee, de groetjes van zijn achterkleinkind,' zegt een blauwe strohoed die zich over de kist buigt. De groetjes... die komt de jongen ook brengen, namens moeder... hij fluistert ze zacht.

Roze is oom, van de poeder, maar zijn oren zijn blauw. Heel blauw en benig en gelig. Op zijn handen zitten gaatjes van injectienaalden. 'Ze hebben liters vocht moeten aftappen,' zegt het dienstmeisje, en bij de kin boven het overhemd ('een nieuw overhemd, wel zonde') beweegt de keel. Ooms adamsappel klopt, hij slikt... De jongen kijkt en snuift, en ook als hij niet langer durft, kijkt hij nog, met één oog uit een hoekje. De strohoed zoent oom op zijn kale hoofd, ze aait hem, noemt hem doezekoes. 'Da's tante Jans, Peens tweede vrouw,' fluistert het dienstmeisje achter in zijn nek. 'Dertig jaar jonger, ze is niet van hier.' Peen? Ja, zo heet een Leendert al gauw op het dorp. Maar Jans noemt hem lekker: 'Doezekoes zoezekoez.'

Oom wil wat terugzeggen: de woorden kloppen in zijn keel, maar het lukt hem niet, zijn lippen zitten stijf op elkaar. 'Dichtgeplakt,' zegt het dienstmeisje. De jongen ziet een luchtbelletje tussen zijn lippen, een belletje dat beweegt. 'Velpon.' Zijn ogen zitten er ook mee dicht. 'Da moes want hij stonk hé.' Als hij goed luistert, hoort hij oom vanbinnen borrelen.

Het bezoek merkt niks, dat praat en zit en drinkt. Advocaatje erbij, brandewijntje met suiker. Santé. O, wat een heerlijke zoute koekjes, zelf gebakken, Jans? Waar ze de tijd vandaan haalt hé? Peen hield d'r ook zo van, van deez, met zo'n glimmend amandeltje erop.

'Wil jij d'r ook een, doezekoes?' Tante Jans houdt oom een koekje voor de mond, strijkt ermee over zijn lippen, drukt het in de Velpon.

De jongen doet een stap achteruit. Wachtend op de klap.

's Avonds ontvangen oom Huibert en tante Marie een stoet verse familie die op de dode oom is afgekomen. 'Van sterven komt erven,' zegt oom Huibert. De mannen praten over de prijs van Leenderts land, de vrouwen over de strohoed van Jans. Neven en nichten lopen in en uit en snaaien van de volle schalen, zoet en zout, het kan niet op. Bokkenpootjes, mergpijpjes, kaassoesjes – ook de stoersten nemen die verkleinwoorden in de mond. De jongen zet zich kauwend in de kring en voelt zich thuis. Het is de eerste keer dat hij al dagen van huis is. De schooltaken liggen nog onder in zijn koffer, geen mens die ernaar vraagt. Een handberoep – dat zal zijn toekomst zijn, en zijn handen vouwen voor de Heer. Zolang hij meebidt hoort hij erbij, en 's avonds in bed praat hij dikwijls door met God de Heer. De spiegelpiloot heeft geen dienst.

Later op de avond, als de jeneverfles op tafel staat en de jongen zijn advocaat met opgeklopt melkvel uitlepelt, praten de mannen over politiek. Bommen en communisten komen er niet aan te pas, het woord 'pensioen' valt evenmin. Het gaat over de prijs van de grond en de regels uit Den Haag. 'We raken onze vrijheid kwijt!' 'Ze zitten aan ons land.' De jongen verbaast zich over de rust waarmee de boeren klagen – sigaartje erbij en een slok. Meneer Java zou al drie keer uit zijn vel zijn gesprongen, maar zij zeggen: de wetten komen van God. En lot rijmt op God – dat zingen ze in elk lied en daar schikken ze zich in. Volgens

oom Huibert draagt de overheid het zwaard niet tever-
geefs.

Eén oom is geen boer maar een cijferaar uit de stad en
hij rekent de boeren van alles voor. 'Ik zeg je: jullie worden
bestolen. Ik zeg je: de staat is een dief.' Kegels en koppen
gloeien op. Ja, mijnheer de minister is een dief.

'Wij zijn ook bestolen,' zegt de jongen, die een duit in
het zakje wil doen.

'Hoezo,' vraagt de cijferoom.

'In Indië.'

'In Indië? En hoe dan wel?' zegt de cijferoom verstoord.

'De paarden, en de huizen, de brieven aan toonder... en
de his... hispanoswies,' hakkelt de jongen.

'Van wie?... Heeft Wilde Marie...' De ooms en tantes ka-
kelen door elkaar. Heeft Wilde Marie wel of niet georven
en van wie? Zorgt Mijntje niet...

'Alles weg,' zegt de jongen, 'ook de pepertuinen.'

'Haha!' lacht de cijferoom spottend. 'De kolonialen waren de grote rovers, ze maken je maar wat wijs.'

De boeren stemmen er brommend mee in: ''t Is een
rooie ons Arjaan, maar hij kan het schoon zeggen.'

'Zeker, we moeten de zaken niet door elkaar halen,'
snoeft de cijferoom. 'Met goedkope rietsuiker onze markt
verpesten, alsof onze bieten minderwaardig zijn, hout onder de prijs. Rijst, alles spotgoedkoop... allemaal over de
ruggen van die arme inlanders.'

'Mijn vader is een inlander,' zegt de jongen ernstig.

Daar moet de familie smakelijk om lachen. 'Inderdaad,
hij bakt ze bruin, die vader van jou... heeft hij al werk?'
vraagt de cijferoom. Het lachen verstomt, een kring ogen
kijkt de jongen aan. 'Of voelt meneer zich nog steeds te
goed? Pepertuinen ammehoela, alles verspeeld en vergokt.
Die moeder van hem... vijf mannen was het niet? Die heeft
alles over de balk gesmeten.'

De jongen kijkt angstig in zijn glaasje advocaat.

'Laat Wilde Marie die leugens allemaal maar passeren?' vraagt de cijferoom aan tante Marie. 'In hoeveel brieven heeft ze zich wel niet beklaagd.'

'Het is Soekarno's schuld,' zegt de jongen zacht. En dan nog eens luid en duidelijk: 'Soekarno is een dief.'

'Soekarno steelt niet, die geeft terug.'

'Het is een aap.'

Wel dit, wel dat, wel heb je ooit! De boeren breekt de klomp: 'Wie is hier een brutale aap.'

'Verdomme,' vloekt de jongen en hij gooit zijn advocaat op de grond.

Oom en tantes, neven en nichten staren naar de vlek. Oom Huibert staat op, pakt de jongen bij een oor en sleept hem naar de deur. 'Koel jij maar eens af op de deel.'

Alleen in de koude gang haalt de jongen zijn oude jekker van de kapstok. De kraag ruikt naar neef Meeuwis. De jongen smeekt: 'Geef me mijn kracht weer terug.' Hij gaat er-mee voor de spiegel staan. 'Vlieg me naar huis.' Maar de jekker heeft zijn werking verloren. Het koude glas maakt hem glad en koel vanbinnen.

'Je bent verliefd op jezelf,' zegt tante Marie als ze hem op weg naar de keuken in de gang betrapt.

Nee, mens! Nu hij bij zulke lelijke mensen logeert, kijkt hij lang naar zichzelf om te weten te komen op wie hij lijkt. Hij smeekt de spiegel hem er anders uit te laten zien. Bruiner en meer van het andere land... niet uit de natte klei. Niet gebukt onder laaghangende wolken. Hij mist het schelle licht van de kust, het zand tussen de lakens, de dui-nen... het is hier zo allemachtig plat, God, wat mist hij zijn bergen... meneer Java, zijn Krakatau aan zee.

Naar bed geslopen, dekens over zijn hoofd getrokken. Lang in zichzelf gepraat. God geeft ook niet thuis.

de thuiskomst

De zee ruist door de straten van het dorp. Achter het duin, niet ver van huis, snort een tractor, de nieuwe van de reddingsbrigade. Er wordt geoefend in het mulle zand. Het zonlicht schittert als een fonkelsteen. Moeder heeft de jongen van het station afgehaald, ze vraagt en zegt niet veel. Meneer Java kon niet meekomen, ja, hij is al dagen thuis, op bed... maar nog te moe om voor het raam te staan. Beter is hij niet, maar het zal beter gaan. De meisjes wachten hem op in de fietsengang. Lacherig. De stormlampen zitten onder het stof, een spin heeft de sleutel van de stal ingepakt.

Als de jongen zijn moeder bij de drempel voor laat gaan, steekt hij zijn armen naar haar uit. Zijn spieren zijn gespannen. Hij is gegroeid, mager en veel meer man. Toch wil hij een kus, een aai van haar, maar haar gezicht verstrakt, het lukt haar niet. Ze zegt: 'Je vader heeft je erg gemist.'

Simson achter het gordijn

'Hij is nog even gek als vroeger,' zegt middelzus.

'Het is weer begonnen sinds dat joch terug is,' zegt eerstezus.

'Hij kijkt heel eng.' Derdezus durft meneer Java nauwelijks thee op bed te brengen.

'Ze hebben allebei die bliksem in hun ogen. Heb je dat joch in het brood zien knijpen? Hij slaat, trapt om zich heen. Geen land mee te bezeilen.' Eerstezus deelt sigaretten uit, de gang dampt blauw.

De jongen knijpt in zijn neus, hij mag niet niezen want anders verraadt hij zijn schuilplek aan de andere kant van het gordijn. Maar hij zou die sigaretten wel uit hun lipge-stifte bekken willen rukken: wat een onfatsoen.

'Na de zomer ga ik op kamers wonen,' kondigt eerstezus aan.

Middelzus kreunt van jaloezie. 'We vallen uit elkaar,' zegt derdezus.

'Nee, we laten elkaar niet los.' De meisjes vullen elkaar aan: 'Wij zijn sterk.' 'Dat hebben we bewezen.' 'Zij... zij maken elkaar gek.' 'Hoe lang geef je Paardman nog?' 'Arme mammie.'

De jongen rukt het gordijn opzij. Daar staat hij machtig groot, als Simson tussen de zuilen. Trots wijdbeens. Hij scheldt de meisjes uit voor goddeloze hoeren, vervloekt hen in de taal van de Schrift. Dat nemen de meisjes niet, ze stormen op hem af, trekken aan zijn krullen, proberen hem in bedwang te krijgen. En blind van woede doet hij wat hij zich eerst verbood: hij slaat de sigaretten uit hun hand.

de zenuwarts

'Als laatste oefening gaan we je huis tekenen,' zegt dokter Kofferman en hij haalt een stapel witte vellen papier uit zijn la. 'Hoeveel kamers telt jullie huis?'

'Weet ik niet, dokter.'

'Weet ik niet? En je woont er al je hele leven? Laten we een plattegrond maken en ze samen tellen.' Dokter Koffer-man houdt de jongen een grote blikkendoos voor met een regenboog aan kleuren.

Na lang treuzelen kiest de jongen een van de vier brui-nen – sepiabruin. 'Ook de kelder, dokter?'

'Van dak tot kelder.'

De jongen begint met het uitzicht: de duinen achter, de

dennen en de paardenwei voor, maar bij de muren van zijn huis gaat het mis... het potlood is onwillig, draait in zijn hand, de punt breekt, ook met een andere kleur bruin wil het niet lukken, hij verandert, krast, maakt er een doolhof van. Dokter grijpt in: 'Nu nog eens helemaal opnieuw en rustig.'

Het spiegelhuis verschijnt op papier, weg ermee. Na het vierde vel komen ze er samen uit: het brede dak tegen het duin en daaronder, in onhandig perspectief, een plattegrond van vierkanten en rechthoeken: de fietsengang, keuken, kelder en alle kamers, ook die van de buren links en achter.

'Zo, en nu gaan we elk vertrek een kleur geven,' zegt dokter Kofferman. 'Kies maar.' De gang wordt blauw. Waarom? Daar roken de meisjes. De keuken rood – bloed. De zitkamer krijgt twee kleuren: groene etensprut langs de muren, de ramen zwart – de oude standplaats van meneer Java. En de slaapkamer van vader en moeder? Dokter Kofferman stelt vragen, slijpt punten en onderwijl kleurt en verraadt de jongen het leven binnenskamers.

'Waar zit je het liefst?' vraagt dokter Kofferman. De jongen haalt zijn schouders op. Dokter wijst het zwart in de zitkamer aan. Nee. Het grijs in de jongenskamer. Nee. 'Is daar weleens iets naars gebeurd?' Nee. 'De badkamer dan?' Daar lekt de boiler. 'De meisjeskamer?' Een geel kleurpotlood rolt zenuwachtig van tafel. 'Wat vind je de allerfijnste kamer?' De jongen dwaalt in gedachten door de tekening. 'Waar voel je je veilig?' De jongen begrijpt niet wat de dokter bedoelt. 'De keuken? Waar moeder lekker kookt? Nee? O. Daar misschien...? Of daar?'

Bang. Bang. In alle kamers bang. De jongen pakt het rood met de scherpste punt en krast het huis aan flarden. Verscheurt het papier, maakt er een prop van, kneedt hem hard in beide vuisten...

'Wat heeft dat te betekenen?' vraagt de dokter.
'Ik ben de bom.'

in het bad

Zo mager en broos heeft ze hem nog nooit gezien, ook vroeger niet toen meneer Java net uit de oorlog kwam. Het zijn niet de ribben waar moeder van schrikt of dat hij haar arm zoekt bij het opstaan, het is zijn gezicht en dan vooral de ogen en zijn stem... Dof kijkt hij, de schittering is weg, de opwinding, de woede, ja, die mist ze ook, als hij praat, die opgewonden scherpe klanken, de kruidige klemtoon en al die ouderwetse bruingebakken woorden, zo kenmerkend voor mensen die de taal van een ver moederland onder de evenaar hebben geleerd... Weg zijn ze, aangepast, afgestompt... Hij is een vreemde van zijn eigen tong geworden.

Moeder leidt hem elke morgen naar het bad, voetje voor voetje lopen ze samen door de gang, arm in arm, tegel voor tegel, zonder veel tegen elkaar te zeggen – een klopje op de hand, twee vingers die elkaar zoeken...

De jongen loopt stil achter hen aan, hoort het haakje van de badkamerdeur in het oogje vallen, hij gaat op een kruk staan en kijkt door het ronde gaatje boven in de deur. Hij veegt het glaasje schoon, maar dat heeft geen zin want het beslaat aan de binnenkant. Hij ziet stoom en toch ziet hij hoe moeder meneer Java uit zijn badjas helpt en hoe hij krom en bevend op haar steun wacht, hoe magere benen in het water stappen, het voorzichtige zitten, het gekreun en moeders zepende handen. De nek, de rug, de borst... armen omhoog, vingers gespreid, die bruingele krachtige handen waar zoveel drift in zat... ze zeept ze helemaal wit. Zo hebben moeder en meneer Java elkaar in jaren niet aangeraakt, zacht en geurend met belletjes schuim die tussen hen op dansen.

En in die belletjes zitten hun woorden, als in een strip-verhaal.

'Ik heb je slecht behandeld,' zegt meneer Java.

'En ik ben niet aardig geweest,' zegt moeder.

'Ik zal mijn leven beteren.'

'Je zal weer sterk worden.'

'Maar niet meer zo kwaad...'

'Dat zit nu eenmaal in je.'

'Boen het weg,' vraagt meneer Java.

Het water loopt over hun woorden. Maar de jongen hoort alles, ziet alles. Ook hij heeft langzame ogen en vergeet niets.

bronnen

Op het idee van de kogeltjesscène kwam ik na lezing van *Un homme si simple* van André Baillon. Ook het gedicht 'Watersnood' van Anton Korteweg was een inspiratiebron. In *Mensenlandschappen* van Nâzim Hikmet kwam ik het woord 'radiomaan' tegen – deze passie werk ik uit in 'Grenzeloos'.

De tekst van het radiopraatje van Albertine van den Berg over de stranding van de Katingo (februari 1955) in Bergen aan Zee, friste mijn geheugen op, al heb ik die gebeurtenis willens en wetens een paar jaar later dan in de werkelijkheid laten plaatsvinden.

Adriaan van Dis

Van Adriaan van Dis (Bergen, 1946) verschenen de volgende titels

Nathan Sid Novelle, 1983

Casablanca Schetsen en verhalen, 1986

Een barbaar in China Een reis door Centraal Azië, 1987

Zilver of het verlies van de onschuld Roman, 1988

Een uur in de wind & Tropenjaren Toneel, 1989

Het beloofde land Reisroman, 1990

In Afrika Reisroman, 1991

Indische duinen Roman, 1994

Palmwijn Novelle (Boekenweekgeschenk), 1996

Dubbelliefde Roman, 1999

Op oorlogspad in Japan Reisverhaal, 2000

De Indische romans Nathan Sid, Indische duinen en Op oorlogspad
in Japan, 2002

Familieziek Roman in taferelen, 2002